JN078925

科学と社会へ望むこと

池内 了
Ikeuchi Satoru

而立書房

装丁　神田昇和

目次

I コロナ禍にどう対応するか

IV　社会とシンクロナイズする科学

V　科学アラカルト

I

コロナ禍にどう対応するか

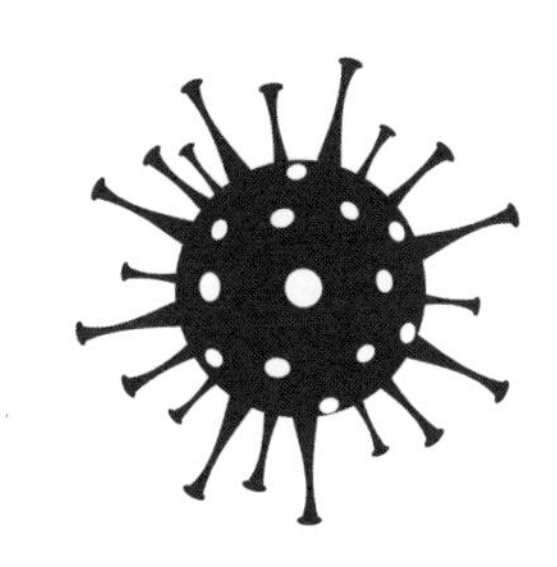

日本では二〇二〇年二月頃から流行し始めた新型コロナウイルスによる感染症は、全世界を例外なく巻き込んでパンデミックと呼ばれるようになり、一年を経過した二〇二一年二月現在もまだ沈静化する気配はない。急ごしらえのワクチンが出回って接種が始まっていて安全性が強調されているが、本当に長続きする免疫となる抗体を産生するのか、時間が経ってから副反応が出ないのか、変異するウイルスに対応できるのか、など疑問に思うことも多く、もろ手を挙げてワクチン万歳とは言えない状況である。

本章には、パンデミックが広がり始めた頃から時系列で、コロナ禍に対する意見や提言を書いたものを収録した。主には科学者である感染症の専門家に対する苦言・助言・励まし・批判などであり、政府の無策や怠慢や誤断などに対するものも含まれている。

多くの識者がコロナ禍で考えたこととして、新しい文明論の可能性や行き詰った資本主義の克服や自国優先の世界情勢変化などを論じており、それなりに未来への示唆を与えてはいる。しかし、私にはコロナ禍に乗じた勝手な空理・空論を断じているだけのように思えて、あるいは識者に意見を書かせて消耗品のように消費してそれでお終いという感じがして、自分ではそのような論稿を書くことを控えてきた。書くだけの実力がなかったためもある。

ただコロナ禍はまだ続きそうであり、私自身、今後どのような心境変化が起こるかわからない。その意味でも、現時点での私の考えを記録しておくことは無意味ではないと思って、これまでの文章をとりあえず収録した。

流言蜚語（りゅうげんひご）

今年（二〇二〇年）は暖冬のせいか、花粉症が早く始まった。そのためティッシュペーパーが欠かせないのだが、新型コロナウイルス感染が拡大する中で、ティッシュペーパーが店頭から姿を消してしまった。迂闊（うかつ）にもティッシュペーパーの買い溜（だ）めが起こるとは露とも考えなかったので、花粉症の鼻水を拭き取るのに四苦八苦している最中である。

新型コロナウイルスの感染拡大でマスクが品薄になっていることは想像できるが（とはいえ、こんなに急に薬屋やコンビニの店頭から姿を消してしまったのは解せないが）、ティッシュペーパーやトイレットペーパーまでもが巻き添えを食って買い溜めが起こっているとは思いもよらなかった。マスクは布製品だから、その特需のための品薄は理解できるが、紙製品であるティッシュペーパーやトイレットペーパーの生産にまで影響があるとは思えないからだ。

なぜなのだろうか。ある地方では米や缶詰にまで買い溜めが起こっているそうで、まさにデマ・風評・流言・風説・飛語（蜚語）などに踊らされての買い溜め騒動と言うしかない。何か社会的な問題が起こると、それが物品の生産・流通・販売の現場に障害を生じさせて供給が滞り、一方で人々は物不足が生じるとの根拠のない噂を信じ込み、自衛のために買い溜めしておこうという切迫した心理から行動を起こすのである。

一九二三年九月一日に関東大震災が起こり、そのドサクサに紛れて社会主義者や朝鮮人虐殺が起こったのだが、その背景に「流言蜚語」があった。広辞苑によれば、流言蜚語は「根拠がないにもかかわらず言いふらされる、無責任なうわさ」とある。漢字の「蜚」はあぶらむしを指すそうで、害虫が飛んで被害が広がるという意味が込められているらしい。

この関東大震災時には、朝鮮人が井戸に毒を撒いているとか、主要な建物に爆弾を仕掛けたとの流言蜚語が広がり、それに恐怖感を持った人たちが先手を打って自己防衛するとの意識が高じて朝鮮人虐殺が起こったとされている。日本に渡来して働く朝鮮の人々への偏見や差別意識がある中で、日本人には日頃彼らを正当に扱っていないという後ろめたさもあるために不安感が募り、「やられる前にやれ」という意識が働いたのではないか。寺田寅彦は「流言蜚語」（一九二四年）と題する短いエッセイで、流言を広げる媒質となる市民は「科学的常識」を持たねばならないと書いている。「科学的な省察の機会と余裕」のことである。

今回のティッシュペーパー買い溜め騒動を、もう百年近く前の関東大震災の流言蜚語騒動と比較するのは大げさ過ぎると思うが、その背景にあった人々の心理は本質的に同じと考えてよいだろう。ほんのささやかな不安がデマや噂話によって拡大され、真実であると思い込んでしまって自分が制御できなくなってしまうのは共通しているからだ。ほんの少しでも状況を冷静にかつ客観的に見て判断する気持ちがあれば、極端な行動には走らないだろうに。ところが、誰かが品薄になると秘密めかして言っていたのを聞くや、行列があればさっそく並んで手に入れ、空き棚を見れば他の店にも足を延ばして買いに走る、そんな群集心理のようなものが働いて、当面は不要なのに矢も楯もたまらず手に入れておかねばと焦ってしまうのである。その結果、日ごろ店頭に山積みされているティッシュペーパーが瞬く間に姿を消してしまったのだ。拳銃の弾薬の売り上げが増えているアメリカと比べれば、日本はティッシュペーパー騒ぎだからまだ無難なのだが……。

より危険性を感じる流言蜚語として、「新型コロナウイルスは中国の生物兵器作成中に漏れ出したもの」との噂がまことしやかに語られていることである。これに軍事評論家と称する人間が「あり得ることだ」と同調し、中国の生物兵器開発のせいだと言うのだが、すべてが臆測の積み重ねであって、何ら証拠を示しているわけではない。騒動が起こったときに広がる陰謀論の類で、やがてヘイトに転じ、自衛のためだとして跳ね上がった行動が起こりかねない。陰謀論的蜚語は断固として否定すべきだと思う。

流言に対して「科学的な省察の機会と余裕」を忘れない態度を身に付けたいものである。

（中日新聞 20年3月14日）

ショック療法

コロナウイルス騒動に対して、「国難」という言葉を安倍首相が使っている。一般に、政治家が難題に遭遇したとき、あたかも自分が全責任を背負っていて、解決に当たる英雄のようなパフォーマンスを見せたいがために「国難」と呼ぶことが多い。国を救うヒーローだと自分を目立たせるためである。実際には、日本だけでなく、中国・韓国・イタリア・イギリス・米国など感染症者を多く出している国が多いのだから、「地球難」と言うべきだろう。ところが「地球難」となってしまうと、各国と協議して一致した行動をとらねばならず、それでは自分の功績にならないから、「地球難」は政治家の誰もが使いたがらない言葉なのである。

コロナ禍の難題に後手後手でしか対応してこなかった安倍首相が「国難」と称して、突如二月二十七日に唐突に政治判断なるものを持ち出し、小中高の春休みまでの休校措置要請を打ち出した。私は、これを国家非常事態宣言のための予行演習で、この要請を発したら国民はどの程度従うかを見るために安倍首相が打った「ショック療法」ではないかと思っていた。つまり、本音は国家非常事態宣言の発令であり、明確な理由も示さずに首相の一存だけで、国民の私権や個人の自由を制限することを可能にしようという魂胆ではないのか、と勘繰ったのである。

案の定、安倍首相は三月二日の参議院予算委員会で「新型インフルエンザ特別措置法の改正」（特措法）を行うことを表明し、「緊急事態宣言」を発するという方向で政局を動かそうとしている。「この一、二週間が感染の拡大が止まるかどうかの正念場である」と言って人々に切迫感を持たせ、二〇一二年の民主党政権時代に特措法が制定されたことで野党に安心感を持たせて、この施策を押し通そうとしているのである。

民主党政権の時代と明らかに異なるのは、誰しもが知る通り、安倍政権になって以来、特定秘密保護法・安全保障関連法（いわゆる戦争法）・組織的犯罪処罰法（いわゆる共謀罪法）など、国家の権力を強化する悪法の数々を成立させてきたことである。そして、行きつく先に憲法「改正」を据えており、その前の小手調べとしての「緊急事態法」ではないかと勘繰るのは当然であろう。文句を言わずにお上に従う体質がどれくらい浸透しているかを見るため、「緊急事態」の宣言の受け入れ具合を見ようとの魂胆が背後にある。実際、今の日本は「忖度政府」と言ってもいいくらいで、首相の意向を先読みして行動する官僚たちばかりなのだが、さて国民全般はどうなのかを知る絶好の機会になるというわけだ。

日本は明治維新以来、中央集権を国家の方針として強化してきた。地方分権の江戸時代のままであれば、中央政府が政治・外交・経済システム・教育などの社会機構を統治する国民国家としての一体性がないとして、ひたすら国家への集権化を進めてきたのである。中央集権、言い換えれば「上意下達」を貫徹しやすくすることで、上意であればその意味を問うことなく、またそれがいかに無理なことであっても、文句を言わずに従うという体質を国民に植え付けることであった。こうして日本は中央政府の権限がどんどん肥大化する一方、地方の自由度が極めて痩せ細っていく体制が作られてきたのである。

その端的な例は、一八八九年の市制・町村制が布かれた時には七万余りあった市町村が、最近の平成の大合併後には一八〇〇程度、四十分の一にまで減少してしまったことである。大義名分が行政の効率化なのだが、それは下々の声を切り捨てて国や県などの上意組織の意向を通り易くすることであり、市町村の末端組織は下達だけのための伝達組織となってしまった。このような中央集権化が民主主義を弱体化させてきた大きな要素となったことは否めない。烏合の衆によって多数派を形成し、多数決原理で物事が決めていくから、だれもが多数派に属することを望み、決定は中央にお任せとなっているのである。

緊急事態宣言とは、中央集権が独裁化するための地均しで、ついには「一君万民」になってしまうのではないかと、最悪の事態を想像している。

（20年3月 記）

新型コロナウイルスが招くもの

新型コロナウイルスの感染爆発を目の前にして、いよいよ緊急事態宣言が発令されることになった。やがて東京や大阪などの大都市の閉鎖へと進み、重症感染者の続出で医療崩壊になるのではないだろうか。もっとも心配なのは、精神主義と上意下達意識が強い日本だから、実質的に戒厳令が敷かれ、大本営発表ばかりとなって、少しでも国の方針を批判したり反対したりしようものなら、「非国民」、「国賊」として糾弾されてしまうことだ。ファシズム国家の到来である。

それは考え過ぎだろうが、政府も国民の多くも数カ月でコロナ騒動は終わるとし、緊急事態は短期間と見做して小手先ばかりの対策しか考えていないのではないかということを懸念している。新型ウイルスの治療薬やワクチンが完成するのに一年は必要だとされているし、それが行き渡って世界中が落ち着いた状態に戻るのには二年は要するだろう。従って、最初の一年間は学校閉鎖を続けざるを得ず、自由時間を持つ不特定多数の人間を相手にする観光・旅館業や映画・演劇などの興業はほぼ休止状態となり、対面販売の商活動も生鮮品の商店以外は継続できなくなる。日本がお得意の自動車・ＩＴや電化製品・鉄鋼や造船などの輸出産業も生産低下で大不況を免れない。この状態は最低限二年間くらい何らかの形で続くから、その間の状況の推移を読んで対策を考えねばならない。首をすくめておれば通り過ぎるものではないのである。

むろん、このような大不況による景気後退は全世界に及ぶから、各国政府がいかなる対応策を講じて、この難局を乗り越えるかの政策能力が試されることになる。リーマンショックの場合、とりあえず国から銀行への大量融資で乗り切ったが、今回のコロナ騒動はあらゆる分野の経済活動が大きな痛手を被り、大量の倒産・首切り・失業が続出すると思われるから、きめ細かな対策と大胆な財政出動が相伴っていなければならない。それも小手先の対策ではなく、最低二年間を見据えた長期的な構想の下で計画的に行う必要があり、各国の政治指導者の見識と実行力が問われることになる。

そう思って世界の政治家の顔を思い起こせば、さてこれで大丈夫なのかと心配する面々ばかりである。どの国々も自国ファーストになり、他国の困難は無視して自国の利益のみに走りかねないからだ。既に、診療機材を他国よりも非常に高い値段をつけて独占的に輸入しようという動きがあるが、「今さえ、金さえ、自分さえ」よければよいとの国際バージョンで、災害に付け込んだ強欲資本主義が跳梁しかねない。感染者の流入を防ぐための国境閉鎖が常となって、国際協調主義が国内優先主義にとって代わられ、弱肉強食時代へと逆戻りになるのではないか。世界史が反転する危険性が大きい。

ましてや日本においては、その場しのぎの施策しか打たず、個人所得の補償はせずに自己申告に基づく現金配布のような、経済対策としてあくまで自己責任論から一歩も出ない内閣しか持っていない。そして、緊急事態宣言を憲法改悪の予行演習として行使して、国民の従属ぶりを見るという安倍首相の野望が実現しかねない状況である。

考え過ぎと言われそうだが、非常時であればこそ、火事場泥棒のような手段で人権・主権・平和という憲法の三大権利が盗まれないよう十分気を付けねばならない。

（中日新聞　20年4月11日）

長期戦になる新型ウイルス騒動

新型コロナウイルスの感染拡大に対して、ついに緊急事態宣言が発令された。と言って、いつまでこのような事態が続くのか、誰にもわからないというのが実情である。もっとも、このような状況が永久に続くわけではなく、いつかは必ず終わる。その状態はウイルス感染の治療薬と感染予防のワクチンの開発が成功して、感染拡大がストップするようになった時だろう。とはいえ、これらの完成には一年はかかると見積もられているから、長期戦を覚悟しなければならない。世界中にワクチンが行き渡る期間も考えれば、二年は必要かもしれず、そうなるまでにどんな道を経るか考えてみよう。

もっとも楽観的な見方は、インフルエンザウイルスのように、気温が上昇すればウイルスが活性を失って感染者が出なくなるケースである。しかし、新型ウイルスは気温とは関係がなく、突然活性を失うことはなさそうだし、たとえそうなっても、寒くなればいずれまた活性化して感染拡大ということもあるので、治療薬やワクチンができない限り安心できない。

ヨーロッパやアメリカは感染爆発が起こって多数の人々が感染している。それなら皆が感染して免疫ができれば、もはや感染者は出なくなるから後の心配もない、というヤケクソの居直り論がある。その場合の問題は、致死率を小さく0.3％としても日本だけで三十万人という死者が出るだけでなく、重症患者はその十倍もいるからとても病院に収容できず、医療崩壊が起こって百万人単位の新型ウイルスに関連する死者が出ることになるだろう。感染爆発はどうあっても避けなければならないのは自明と言える。

今、日本の医療当局が採っているやり方は、①外出の自粛と手洗いや密閉・密集・密接、すなわち「三密」回避の奨励で感染拡大を抑制し、②軽症患者は多いが重症となる患者が比較的少ないので、よほど症状が顕著になるまでPCR検査は行わず、「隠れ感染者」として放置する、③集団的な感染（クラスターと呼んでいる）に集中的に検査・治療を集中させて抑え込む、という方針のように思われる。

好意的に言えば、重症患者は比較的少なく、致死率も小さいというウイルスの特性から、感染は広がっても仕方がないとし、PCR検査数を抑えて、重症になったときに対処していこうとの考えのようである。しかし、この方針による弊害がある。ここでは「隠れ感染者」と記したが、要するに「ウイルスに感染しているけれど自覚していない」人のことで、そのような人が多くいて知らずに感染を拡大している。感染履歴のわからない感染者が増えていることがその証拠で、その場合は感染拡大を阻止する方策が見つからないことになる。

そして、重症になってからやっと医療機関を訪れるので、亡くなる人の割合が高くなる懸念がある。事実、新型ウイルスの致死率が韓国（1.5％）やドイツ（0.5％）に比べて日本は確実に高かった（3％）。私は、「オリンピック成功のために感染者を少なく見せたい」との安倍政権の意向が働いていると勘ぐっていたが、いずれにしろ検査抑制の弊害が高い致死率として表れていた（オリンピックの延期が決まった四月以降ＰＣＲ検査数を二倍に増やしたこともあり、致死率は2％程度に減少している）。もっとも、感染爆発で感染者が異常に増加して医療崩壊が起きているイタリアやスペインの致死率はもっと高く、医療崩壊を招かないよう検査を少なくしていた、という言い訳もある。

日本の医療当局（厚労省）の方針は、感染者を少なく見せるためであって、実際に少なくしたわけではないから、感染爆発を先送りしているに過ぎない。その間にワクチンが完成するか、ウイルスが不活性になるか、という僥倖（ぎょうこう）に恵まれればいいのだが、そんなことは期待できないから、このままでは感染爆発は避けられないだろう。感染爆発が起きれば医療崩壊は確実で、致死率以上の死者が出ることは確実である。感染爆発の時期を遅らせたことがプラスになるかマイナスになるか、これもまたわからないとしか言いようがない。

私がここで言いたいことは、政府はカッコよく緊急経済対策を公表しているが、現金給付を自己申告制にしているから緊急対策ではない、線引きせずに生活の困難に遭遇する個人には即座の所得補償をし、大企業に対しては溜め込んだ金を吐き出させることである。そして、二年間くらいの長期にわたる無利子融資や返済猶予などの対策を考え実施していかねば、新型ウイルスが去る頃には累々たる死骸が山積することになりかねない。同時に、安倍首相が国の強権が必要であるとして、火事場泥棒的に非常事態宣言を憲法に書き込むというような憲法改悪の先取りをすることを十分警戒する必要がある。

今、私たちも正念場に立っていることを忘れてはならない。

（大阪民主新報 20年5月3日）

何が不要不急なのか

新型コロナウイルス禍で非常事態宣言が出され、不要不急の外出を自粛して、当分はホームステイをするよう強く勧告されている。感染拡大を引き起こさないために人との接触を控えよ、というわけだ。しかしさて、ここで言う「不要不急」はどういう基準で判断されているのだろうか。今回のウイルス禍に関連して、何について、どのような課題が、本当に不要不急なのか考えてみたい。

新型ウイルスがこれほど蔓延しているのは、世界中の政府が「まさかウイルスの感染拡大は起こらないだろう」との甘い見通しに立って、感染症を専門とする「不要不急の病院や病床や医療体制」の整備を怠ってきたことに起因しているのは確かだろう。二〇〇二年にＳＡＲＳ（重症急性呼吸器症候群）が広がり、二〇〇九年にはＭＥＲＳ（中東呼吸器症候群）が世界を揺るがしたが、今回ほどの大事に至らず、パンデミック（感染症の世界的拡大）宣言も出されなかった。コロナウイルスに対しては流行性感冒のみが注目され、ワクチン開発がそれなりに進んでいることから甘く見てきたのである。その結果、コロナウイルスによる感染症対策の手を緩めていたアメリカやヨーロッパなど、いわゆる先進諸国で感染爆発が起こり、医療崩壊を招いた国も多く出ている。

それに対して、台湾、韓国、ドイツの三国は、コロナウイルス対応の優等生と言われている。台湾はITを用いていち早く防疫体制を布き、韓国はPCR検査を増やし、感染者の処置を手際よく整え、ドイツは万全な医療設備を構築してきた。それぞれ感染症への対応において、平時から「不要不急の部門」を抱え込んできたことがわかる。

翻って日本を見れば、予算の大きな割合を占める福祉・医療の経費を削減するために、各地の公衆衛生の拠点となるべき保健所を削減し、地域の拠点病院一元化のために中堅病院の統廃合を進め、公立病院を自治体から切り離して私立病院に鞍替えさせ、医師・看護師の増員を抑制してきた。一般に予防や保健衛生のための医療設備や人員は不要不急と見られ、ベッドに少しでも空きがあれば無駄として、予算削減のターゲットにされてきたのだ。また、国立感染症研究所は、感染症に関するウイルスや細菌研究・病原体や検体検査などを専門に行う国内唯一の研究機関だが、年々予算が削減されてきた。流行ってもいない病気のための研究も不要不急というわけだ。

しかしながら、医療に携わる人員は一朝一夕で育てることはできず、医療用品や検査器具などの開発・生産を外国に丸投げすれば、イザというときに困ってしまう。実際、マスクの生産を外国任せにしていて品不足になったことが今回の事態で判明した。つまり、人間の命にかかわる部門は不測の事態を想定して常備しておかねばならず、いくら予算がかかっても不要不急ではないのである。ドイツではコロナ禍が蔓延するさなかであっても文化の重要性を強調したが、さて日本ではどう遇されるだろうか。

私は、不要不急の最たるものは自衛隊であると思っている。莫大な軍事費を使って使いもしない近代兵器を爆買いし、災害時の活動以外には有為な社会活動に参与せず、働き盛りの若者を軍事訓練のためだけに二十万人も抱えているからだ。自衛隊は数万人の災害救助隊に衣替えすればいいのである。現代においては、もはや戦争を抑止しているのは軍事力ではなく、国際的な平和を望む世論の力であり、人と人が殺し合う戦争の時代は終わっているからだ。世界の情勢は、軍事的な安全保障ではなく、人々の命と人権を守る仕組みを様々に工夫する「人間の安全保障」が本命になりつつある。

本当に不要不急なものは何か、コロナ禍から考え直すべきことが多くありそうだ。

(中日新聞 20年5月9日)

医療専門家の限界

現在、日本中の人々の注目の的になっているのが「新型コロナウイルス感染症対策専門家会議」の動向であろう。コロナ禍に対抗するために政府に任命された感染症医療の専門家たちで、錯綜する疫学的データを見ながら打つべき手を議論し、政府に対して助言を行っている組織である。刻々と変化する緊迫した状況の中で、昼夜を問わず判断力を研ぎ澄まし続けねばならない厳しい任務に従事されていることに敬服している。

しかし、私は彼らに重大な疑問も持っている。専門家として現在の事態を解決する糸口を社会に向かって正直に、かつ声高に伝えようとしていないことである。一般に、科学に携わる人間は自分の仕事の詳細にこだわるあまり、大局的な見地からの判断を下すのを控えて、自らの社会的な責任を回避することが多い。原発事故の時に原子力の専門家が採った態度と共通する。

コロナウイルスの感染拡大をいかに防ぐかに対して、専門家会議が採用した方針は①国民が日ごろ行っている手洗い・消毒を奨励し、不要不急の外出を自粛して三密（密閉、密集、密接）を避ける、②クラスターと呼ぶ感染の連鎖を綿密に追及して、感染系列を潰すことで感染拡大を抑制する、③軽感染者の増加による医療資源の占領を抑えるために、ＰＣＲ検査はクラスター解析の重感染者に限る、というものであったと推測できる。

先の①は日本人の清潔好きと合致していることもあり、都市のロックダウンを命令しなくても接触頻度はそう大きくなく、成功している。②はこれまでのＳＡＲＳやＭＥＲＳで成功した手法であり、ある段階までは成功してきた。③に対しては、それに反対する医学者も多く、韓国やドイツとの比較から、ＰＣＲ検査数が少な過ぎるとの批判が絶えない。

のみならず、ＰＣR検査をしないから感染していないと思っている「隠れ感染者」が増えて、感染経路が特定できない感染者が急増するようになった。この事態は、直ちに②の手法に疑問を投げかけることになった。クラスターに関係しない患者が過半数を占めるようになったから、クラスター潰しのみでは有効でなくなってきたのである。そのことも自覚して、四月二十二日の「状況分析・提言」にはＰＣR検査の迅速な実施を打ち出している。

おそらく、専門家会議はこのような考え方に従って行動してきたのであろうが、それらを国民に対して語りかけず、政府が打つべき手について強く勧告をしてこなかったのが実情である。自分たちが守る範囲を決め、そこからはみ出そうとしないことで、社会から期待されている専門家としての科学的見通しを人々に示すという社会的責任も放棄しているのである。政府に遠慮しているとしか思えない。あるいは、政治に口出すことはタブーと心得ているのだろうか。

最初に専門家会議としては①〜③を軸に進めると宣言し、「その間に私たちは感染者の拡大を抑え込むから、国は緊急に医療体制を充実させるべき」と強く主張すべきであった。実際、三つの方針は感染拡大を遅らせる効果はあっても、それで感染を終焉させることが困難であることは明らかである。いわば時間稼ぎをしている間に国に医療崩壊が起こらないよう十分な措置を採るべきと叱咤する必要があったのだ。そして、そのような状況を広く国民に訴えて世論の後押しを得ることが肝要であった。

ところが、医学者たちは政府にも人々にも訴えることをせず、「新しい生活様式」などと路線変更を打ち出している。社会に責任を負うべき専門家とはどういう存在か、考えてみるべきであろう。

（20年5月記）

「日本の成功」なのだろうか？

新型コロナ禍に対する緊急事態宣言が解除された状況を迎えて、欧米のメディアでは驚きをもって「日本の成功」と報道している。日本ではＰＣＲ検査が非常に少なく、強制力のない緊急事態宣言のみで都市のロックダウンもしなかったのに、人口十万人当たりの感染者数や死亡者数が欧米諸国と比較して明らかに少ないからである。

端的に言えば、①日本人は手洗いやマスクの着用など日常的な衛生習慣が身についており、外出の自粛や三密の回避などの要請を国民が忠実に守ったこと、②集中的にクラスターと呼ばれる集団感染に的を絞って感染拡大を抑えたこと、③ＰＣＲ検査を感染重症者に制限して医療崩壊になる事態を乗り越えたこと、の三点が感染拡大を抑制できた理由になるだろうか。しかし、私は率直に言ってこれは時間稼ぎであって、安倍首相が誇るように「日本モデルの力」とするのは時期尚早だと思っている。

というのは、新型ウイルスとの攻防はまだ一ラウンドが済んだばかりで、これから何ラウンドも続く可能性があり、一時的な収束ではなく、本当の終息となって始めていかなる手法が有効であったかがわかるからだ。終息とは、ほとんどの人間が感染して抗体ができるか、ワクチンが完成して誰もが手軽に予防接種ができるという状態のことで、そのようになるまで新型ウイルスとの攻防は続くのである。

今うまくいっているからと言って、今後のウイルス蔓延の危機に対して真に有効な対策を行使できないようでは意味がない。マスク着用率とかBCG接種とか日本人の「民度のレベルが違う」（麻生副総理）と誇っている人もいるが、果たしてそうなのだろうか、それで今後もしのげると言うのだろうか。

上記①〜③の対策の継続だけでは安心できない。①の日本人の衛生感覚等は今後も有効であるのは確かだが、ウイルスはどこに潜むかわからず、どこから入り込んで来るかわからないのだから、それだけでは万全でないのは明らかである。また、②と③はクラスター対策とセットになっていて、実はSARSがＳＡＲＳが広がる最初の段階で水際作戦として採用されたのがクラスター対策であった。ＳＡＲＳの蔓延を食い止めた経験を今回にも適用し、現段階まで一定の成果を挙げたことは確かである。しかし、クラスター対策は、あくまでウイルスが国内に侵入する最初の水際段階で有効であるのだが、いったん上陸して大きく広がり、感染経路が不明な感染者が過半数を占めるようになると、その有効性は小さくなる。新たな手立てを打たねばならないのである。

そのヒントを探るために、少なくとも現時点までの「成功物語」を探すとよい。人口当たりの感染者数も死亡率も日本より有意に少ない、中国・韓国・台湾・タイ・ベトナム・ニュージーランドなどアジア・オセアニアの国々のことだ。これらの国々の多くは、ＭＥＲＳ禍の経験から感染症への警戒心を持ち続け、新型ウイルス発生・感染拡大とともに早々に国境を閉鎖し、多数のＰＣＲ検査を実施して感染者の同定と隔離を行い、スマホを利用して感染者の行動監視を行ったこと等によって、コロナの跳梁を小さく食い止めたのである。

むろん、日本でもこれらの結果を参考にしてＰＣＲ検査の拡大を政府に要請する声が高い。ところが、安倍首相が約束した一日二万件が、未だに一日一万件に達することすら稀である。せっかく感染拡大を抑止して時間稼ぎをしてきたのに、政治がまともに対応しないようでは「日本モデルの力」はすぐに萎(しぼ)んでしまうことは言うまでもない。

（中日新聞　20年６月６日）

「複合災害」の時代

二〇一一年三月十一日、福島では東日本大震災とともに原発の過酷事故という二つの災害に襲われた。実は既に一九九七年に、地震学の石橋克彦氏が「原発震災」と呼んで、大地震による震災と原発事故による放射能汚染という二つの異質の災害が同時に起こって複合的な被害をもたらす可能性があることを予言していたのが、そのまま現出してしまったのである。さらに八〇年以上前、寺田寅彦は「文明が進むほど天災による損害の程度も累進する傾向がある」（「天災と国防」一九三四年）と述べている。文明の象徴である原発を利用するようになった結果、地震という天災が文明の象徴である原発事故を誘発して大損害をもたらした、と寅彦の言葉を解釈することもできるだろう。

現代は、文明がいっそう進んだがために天災が増えて異なった災害が同時に生じ、それらの複合的な災禍のため、より大きな厄災へと拡大する（損害の程度も累進する）という時代になっていると言えそうである。というのは、地球の温暖化が気象異変につながり、台風の数が増えて大型化し、集中豪雨も強烈なものになって、各地で毎年のように洪水や山崩れが引き起こされているからだ。それに加えて新たに「コロナ禍」と呼ぶ新型コロナウイルスによる感染爆発という天災も加わることになった。文明の象徴たる原発の事故が誘発される可能性もあり、これらの災害がいつ同時的に起こっても不思議ではない。もしこれらが複合して災害が生じた場合、いかに危機的な状況が生じるかを想像し、しかるべき対処法を検討し対策を講ずるべきではないだろうか。

一番の厄介事は、ワクチンが完成しないままコロナ禍が広がっている最中に、原発事故あるいは洪水あるいは地震など、多数の人々が避難しなければならない災害が併せて発生する場合であろう。通常の天災では公民館や学校の体育館が避難所となって大勢の人々が集まり、狭い空間で寝食を共にするのだが、コロナ禍が合わさるとそうはいかなくなる。感染防止対策の要である換気や三密回避などはとても期待できないからだ。感染者が一人でも混じっておればたちまちクラスター（集団）感染となり、特に高齢者や疲労で免疫力が弱った人にとっては命取りになりかねない。もともと、天災発生時に設けられる避難所の劣悪な環境は以前から指摘されてきたのだが、コロナ禍が重なれば、余分の犠牲者が生まれることは火を見るより明らかだ。

コロナ禍を想定して、避難所の混雑を避ける工夫がアレコレ提案されているが、多数の被災者が一斉に訪れる事態となればとても対処できないだろう。小手先の対応で済ませられないのである。ところが、大掛かりな施設を完備しようとすると、「いつ起こるかわからない複合災害のための施設は不要不急」とされてしまう可能性が高い。私たちも、緊急時しか役立たないと見える施設や人員配置をムダと見做す発想に慣らされていないか、胸に手を当てて考えてみる必要がある。

複合災害の可能性が高くなっていることを考えると、少なくともコロナ禍が完全に終息するまでは原発を停止させるべきではないだろうか。洪水や地震や台風などの自然現象を止めることはできないが、原発は人間の手で止めて、事故の危険性を回避することが可能であるからだ。原発が事故を起こした場合の避難計画は、原子力規制委員会の審査の対象外とされて、原発立地自治体に丸投げされており、コロナ禍の下での実効的な避難は非常に困難である。「原発震災」を全く想定していなかったため、福島事故において周辺住民の避難に大きな混乱を生じたが、「原発コロナ」という事態になればそれ以上の大混乱が出現することになるだろう。

むろん、「台風コロナ」とか「洪水コロナ」とか「震災コロナ」が起これば同様の混乱が生じることは明らかで、現在まだ誰も真剣に考えていない困難な問題である。コロナ禍が絡む複合災害にそなえてどのような避難先を用意すべきかを、国が先頭になって検討して、早急に必要な予算措置を講じるべきではないだろうか。

（中日新聞 20年7月4日）

コロナワクチンを巡る二つの問題

新型コロナウイルスのワクチンの開発競争が熾烈になっており、多国籍製薬メーカーがいち早く完成を宣言して、イギリスでは早くも接種を開始するという慌ただしい動きになっている。この状況を見ながら、二つの懸念を言っておきたい。

一つは、誰もが心配するように、ワクチンの拙速な開発競争のため、安全性を確かめる実験が手抜きになり、思いがけない副反応で犠牲者が出ないかという問題である。ワクチンは、これまでは、病原性を弱めた（不活性化した）ウイルスや細菌（これを「抗原」という）を摂取し、体内で抗原を攻撃する「抗体」を作らせることによって免疫力を強化し、体を守るという処方のことであった。

昔から、天然痘（疱瘡）に一度かかると免疫ができて二度と感染しないことが知られており、乾燥させて毒性を弱めた天然痘のかさぶたを植え付けて人為的に感染させるという療法があった。ワクチンの原型である。しかし、発病して亡くなる人も多くいて、本格的な治療法にはならなかった。十八世紀後半、牛の病気である牛痘（ぎゅうとう）に感染した者は天然痘にかかりにくいことが経験的に知られるようになった。これに目を付けたのがジェンナーで、一七九六年に八歳の少年に牛痘の膿（うみ）を植え付けると、その後に天然痘の膿を接種しても発病しないことを示した。ワクチンとして牛痘の膿を使用して有効性が確かめられたわけで、最初のワクチン療法と言える。

しかし、その他の病気に対するワクチンの開発には八十年余りが必要であった。ようやく一八七九年になって、パスツールが病原体（ニワトリコレラ菌）を培養して弱毒化し、それを接種すれば感染症を抑えられるという科学的ワクチンを完成させたのだ。それ以来、細菌・ウイルスを問わず、ワクチン療法が確立したのである。

ところが、今、多国籍製薬メーカーが開発に成功したと称するワクチンは、近年のバイオテクノロジーの応用で、従来の手法とは異なっている。ワクチンを通じて体内に遺伝子を入れ、その働きによってウイルス類似の抗原を作らせるというもので「新型バイオワクチン」と呼ばれている。そうして作られた抗原が抗体作成を誘発して免疫力を高めるというもので、いわば人間の体内で遺伝子反応を行わせるのである。さて、この新技術が予期しない深刻な副反応を起こさないのか、免疫力が長く持続するのか、感染力が強化された異種のウイルスに進化しているがそれにも有効かなど、新型ワクチンに対して調べるべき問題点は多くある。

物理学者の寺田寅彦が「コレラの予防注射」という作品を書いている。大正五年（一九一六年）にコレラが流行ったとき、「ワクチンとかいう予防注射が発明されて我も我もと注射をした」そうだが、「私はお断りして受けなかった」とある。彼は、「注射液はまだ発明されたばかりのものである。たとえそれがこれらの予防にどれほど著しい効き目があると分かったとしても、私はまだなるべく御免をこうむるつもりである」と、注射液（ワクチン）の効能があるとわかっても拒否すると言うのである。その理由は、「発明されたばかりの注射液が、長い年月の間に思いがけない禍を起こさぬという証明は付けられまい」と言うように、副反応の危険性を懸念してのことであり、「限られた条件のもとに、限られた時と場所の範囲でした実験の結果を、何の条件もなしに手放しで応用するのは恐ろしいことである」と言っている。彼は科学者であるが故に、むしろ科学の成果が絶対の「真（まこと）」であるかどうかを疑っているのである。この科学に対する懐疑主義こそ、現在にも求められる大事な心得ではないだろうか。

しかし、現代人は気が短くなっており、科学の成果を簡単に受け入れ、完成したと称するワクチンに我先にと飛びついて接種するだろう。ところが、半年後に副反応が続々と出て来たり、免疫効果は限定的で毎年接種しなければならないとか、高い代金を払ったのに無意味であったことがわかったりすれば、どう反応するだろうか。科学への信頼は地に墜ちるだろうか。科学は本来そうしたもので、成功も失敗もあることを学ばねばならない。

もう一つ気になる問題点は、多国籍製薬メーカーが作り上げたワクチンで特許を取り、その特許料で儲けようとすることである。莫大な開発費をかけたのだから、特許で稼ぐのは当然だと思われるだろう。しかし、特許料が払えないでワクチン接種ができない国々（人々）を見捨てるのかという問題が生じることになる。かつてエイズが広がったとき、エイズ治療薬が発明されて発病を大幅に遅らせるのに成功した（エイズウイルスに対するワクチン製造には今も成功していない）。ところが、エイズが蔓延していたアフリカの貧困国では治療薬の特許料が払えず、みすみす平均寿命が四十歳以下で死を迎えねばならなかった。そのとき、特許料を免除して薬を安く手に入るような人道的な措置を採るべきだと働きかけたのが、南アフリカの故マンデラ大統領だった。長い交渉の末、ジェネリック（後発）薬品として南アメリカで安く薬を生産する方式が認められたのである。それによって、アフリカのエイズ感染の拡大をなんとか抑え込むことができたのであった。

それと同じ措置を今回の新型ウイルスのワクチンにも適用すべきではないかと考えている。多国籍製薬企業は儲かればよいので、人道的措置には目を向けないから、世界からの協力と圧力が不可欠である。さらに、エイズウイルスとコロナウイルスとの間に根本的な差異がある。二つのウイルスの感染力や感染機会の違いで、エイズウイルスは濃厚接触さえ避ければ感染は回避できるが、コロナウイルスは空気（飛沫）やドアノブを介して感染するから、市中に感染者がいる限り感染を遮断することは困難なのである。

このことから、コロナウイルスのワクチン接種ができる豊かな先進国の人々のみが生き残れるわけではないことがわかる。特許料が払えないでワクチン未接種の人々が取り残される国があれば、そこから変種のウイルスが出現し、パンデミックが何度も繰り返し起こることになるのは確実である。世界全体が新型ウイルスと共生するためには、特許料免除の措置は絶対に必要なことなのである。コロナウイルスは自国第一主義ではなく、地球人が一体となって対処しなければならないことを物語っていると言えよう。

（長周新聞 21年1月1日）

コロナ禍が露わにした矛盾

二〇二〇年五月二十五日、新型コロナウイルス感染の緊急事態宣言が、全国的に解除された。韓国においては、日本より少し遅れて二月九日ごろから感染者が急速に増加し始めて二月末頃には一気に八千人を超えたのだが、三月二〇日ごろにはもう新規感染者数が頭打ちになっていた。そして、今や完全に沈静化した状態になって普段の生活を取り戻している。二〇一五年に流行したMERS禍に学んで新規ウイルスに対抗する体制を整えていて、PCR検査とその後の隔離措置を手際よく進められたことがコロナ対策に成功した原因だとされている。それらに加えて、軍事費一六〇〇億円を削ってコロナ禍対策に当てたことも特筆されることである。

それに比べて日本では、緊急事態宣言が首都圏に出されたのが四月七日、十六日に全国に拡大された。約一ヵ月経ってからようやく新規感染者数の減少が顕著になって、五月十四日に三十九県、二十一日に大阪など関西圏、二十五日に首都圏と北海道で解除という次第で、韓国にくらべて約一カ月半の遅れがあった。それまで日本では、感染症は長らく起こっていないのだからと、国立感染症研究所への継続的な予算削減があったことに象徴されるように、予防措置を「不要不急」としてサボり続けてきた。そのツケが明確に表れたと言える。コロナ禍について政府に助言を行う新型コロナウイルス感染症対策専門家会議が招集されたのは二月十四日で、それからようやく検討が始まったのだから、まさに泥縄としか言いようがない対策であった。

実は、感染症対策だけでなく、地域の基幹病院の統合と称して中規模病院の閉鎖が大きな問題となっているように、日本政府は医師や看護師数の抑制、医療者の待遇改善を含めた医療費や福祉のための経費の削減、というような施策を推し進めてきた。病院の統廃合の理由は、空きベッドを数多く置いておくのはムダで、常にベッドを満床にしておくためというものであった。効率化に慣らされている私たちも、つい「不要不急」なものは省略していいと思わされており、今回のようにイザという時になって初めて、医者や看護師や検査技師やベッド数が不足して、医療崩壊だと慌てることになったわけだ。「不要不急」とは一体何なのか、じっくり考えてみる必要がある。

私は今、今回の事態を忘れないために、新聞やテレビなどで使われる「コロナ××」と略称される言葉を収集している。例えば、自粛で自宅にいることが求められて「コロナ太り」になったという言葉は微笑みを誘うが、以下のような深刻な事態もある。それらも含め、実に多くの言葉が使われていることはご存知だろう。

思いつくまま挙げてみると、「コロナ危機」、「コロナショック」、「コロナ失業」、「コロナ格差」、「コロナ不況」、「コロナ倒産」、「コロナ差別」、「コロナ成金」、「コロナバブル」、「コロナ難民」、「コロナ疑惑」、「コロナ離婚」、「コロナバッシング」、「コロナ報道抑圧」、「コロナDV」、「コロナ鬱」などである。それぞれがどのような状況で使われているか想像できるのではないだろうか。

「コロナ改憲」はまだ警戒中だが、今後深刻な問題となりそうなのは「コロナ関連死」だろう。コロナ禍によって緊急医療が手薄になったり、通常医療が行えなくなった結果、無念の死を迎えざるを得なくなったという事態である。これは通常の病死に分類されるから詳細はわからなくなってしまう。

さらに恐ろしいのは「コロナ自殺」で、職を失い、大きな借金を抱えて生業がやっていけなくなったり、学業が続けられず、未来に希望を失って自死を選んでしまったりする人々（若者や子供）が増えるのではないか。暴力亭主が常に家にいてDVから逃れようのない主婦とか、学校で友達と接することが少なくなって孤独感を抱える子供たちとか、コロナ禍がもたらす閉塞した環境に追い詰められての自殺が増えるのではないかと心配している。

この時代に職に就く若者に対しては「コロナ世代」というレッテルが貼られて、リーマンショック後の就職氷河期世代と同様、コロナショック後の世代の就職活動の困難さが一生ついて回る可能性もある。のみならず、人と接することが苦手なまま友人を作ることができないとか、学業に偏りがあって常識に欠ける世代を「コロナ世代」と揶揄（やゆ）するようになるかもしれない。成長盛りの若者に対する取り返すことができない決定的な刻印となることは確かである。

いずれも、コロナ禍がもたらしかねない矛盾で、時間がまだあるのだから、今からどのような手を打つべきか考えておくことが必要だと思う。私は、まず社会的弱者と呼ばれる人々に対する念入りなケアを含めた人間同士の協力関係の構築が必要で、そのための予算を軍事費を削って拠出すべきと思っている。また、文化・芸術・演劇・芸能など、コロナ禍で無収入になった人々に対する十分な補償をして、私たちの心の栄養を誰もが楽しめるようにする必要があるだろう。そして、国家として自国第一主義になるのではなく、国際的な友好関係をより強化することも重要な目標と考えている。

まだコロナ禍が完全に終息していないのに、と思われるかもしれない。実際、第三波がいつやってくるかわからず、その時のウイルスはもっと強力なものに変身している可能性もある。しかし、これまでに得た経験から何が重要かを学んだのだから、それを活かして次に備えることと、それこそが試行錯誤していく人間の歩みと言えるのではないか。この機会に、現在の私たちの生き様を点検するのも悪くないだろう。

（21年1月 記）

コロナ禍における科学的対応 ——科学を過大評価も過小評価もしてはならない

新型コロナウイルス問題をめぐって、科学者の意見と政府の対応にズレが生じて専門家の助言の意味が問われ、また日本学術会議会員候補者の任命拒否問題が契機となって、科学者の存在についてアレコレ議論が出されている。現代は科学技術の時代と呼ばれているのだが、そもそも科学者の助言の真意はどこにあるのだろうか、科学者の意見をどのように受け取るべきなのだろうか、改めて現代における科学の意味を考えてみよう。

単純系と複雑系

科学とは、ある出来事（現象、事象の結果）に対して、その物質的原因を探るために、論理的に過不足なくその連関をたどって「因果関係」を合理的に説明する作業のことである。そして、それによって得られた知識を基にして、関連する事柄の詳細を解明するのみならず、将来起こり得る未知の事象をも予言し、なすべき対応の処方箋を提案する。その際の科学の営みにおいては、霊魂や怨念や精神力のような実体のないものには頼らず、すべて物質そのものとその構造・運動で現象を説明することが必須で、個人の都合や社会的要請のような利害を介入させないのが鉄則である。

長々と科学の定義や作業の中身を書いたのは、世間では「科学的」と言いながら科学の要件に当てはまらないことが多く、そもそも科学の名に値しない行為に遭遇することが多くあるからだ。そのことについては、拙著『なぜ科学を学ぶのか』（ちくまプリマー新書）に詳しく書いたので、ここでは省略する。その上で、さらに科学には二種類あることを述べておきたい。

一つは「単純系」で、原因と結果が一対一で対応しており、系を要素に分解して各部分を徹底して調べ上げれば（これを要素還元主義という）、部分の和＝全体という関係にある。ボールが窓に当たればガラスが壊れる単純な例から、低温になって翼に着氷し揚力が付かずに墜落した飛行機事故まで、結果から原因を推定していく作業は細かに分析していけば比較的直線的である。

これに対して、もう一つの「複雑系」は、一つの現象に対して多くの対等な原因が考えられ、原因を特定しても周囲の条件次第で異なった結果（現象）に導かれる場合で、多数の原因と多数の結果が互いに結び合っていて単純に因果関係が同定できない場合である。系を要素に分解しても単純にならず、全体は部分の和以上になって要素還元主義が有効ではない。例えば、「風が吹けば桶屋が儲かる」式の論理のつながりのようなもので、少し筋道を変えるだけで話が根本的に変ってしまうことは誰もが知っている。地球環境問題が複雑系の典型で、地球温暖化そのものを疑う人や、地球温暖化は二酸化炭素の増加が原因ではないと主張する人がいるのは、原因と結果の多重性があるためと言える。一〇〇パーセントの確率で正解が得られないのが複雑系なのである。

科学は単純系に対してはとても強力で、数々の難問を解決して人類の存続を危険に陥れるような障害を取り除いてきた。また、さまざまな新技術をイノベーションして人間の生活を便利で豊かなものにしてきたのだが、それらのほとんどは単純系であり、故障や事故が起こっても、その原因を明らかにして技術の改良を行い、より洗練された技術に鍛え上げてきた。このように個々の科学・技術の中身を問題にする限りではほとんど単純系であり取扱い易いのだが、科学・技術は人間社会の中で活用されていることまで考えねばならず、そうなると単純系であった科学・技術も一気に複雑系に転じるのである。そもそも科学・技術を扱う人間（人体）自身が複雑系であり、人間の集団が構成する社会はそれに輪をかけた複雑系であるからだ。

ウイルス禍について

これまで人類とは接触してこなかった（人類にとって）新種のコロナウイルスが、何らかの作用によって人間社会と交叉することになったのが今回のコロナ禍の原因である。人類発祥以来、このような新種のウイルスとの遭遇を何度も経験しており、遺伝子に取り込んで自家薬籠中のものにしてしまったり、抗体をつくって無害化したりして共生してきた。

今回のコロナ禍でも同様なプロセスをたどるだろう。これまで経験したことがない肺炎症状が広がった現象の原因として新型コロナウイルスを特定し、そのウイルスがどのような作用を及ぼすかの機序を明らかにする、という科学の過程は典型的な単純系の作業である。それはごく短時間で終了した。

次の段階は、体内に抗体を作らせるワクチンを開発し、免疫作用で発病しないように措置するもので、これも人類が開発してきた通常の療法で、単純系に対する処方である。時間はかかっても必ず成功するだろう。現に、ウイルスの同定から一年も経たないうちにワクチンの接種が始まっている。百年前のスペイン風邪では、もっと多数が感染し、もっと多数の死者が出たが、ワクチン開発に成功せず、自然治癒に委ねるしかなかった。そのことを考えると、この間の科学の進歩は大いなるものがあり、私たちは良い時代に生まれたと喜ぶべきである。ところが、コロナウイルスに対する不安ばかりが募るためか、科学不信の声が高まり、科学者への風当たりが強いのはなぜなのだろうか。

私はその理由として、コロナウイルスへの人間の対応が問題となると、直ちに複雑系に転化し、誰もが正解を持たないためと考えている。

先にも述べたように人体は複雑系であり、ウイルスに感染しても無症状の者がいる一方、感染して重症化し亡くなる人もいる。また、個人の遺伝子のタイプの差があり、持病の有無があって、人それぞれ感染に対する抵抗力の差異がある。さらに、過去のＢＣＧ接種が効いているとか、日本人の「民度」のレベルが違うという人までいて、差異の原因の多様性がいくつも挙げられる。このように、ウイルスそのものは単純系なのだが、ウイルス禍となると複雑系になってしまう。事実、テレビには多数の「専門家」が顔を出すが、非常に深刻に捉えて恐怖を煽る人から、通常のインフルエンザと違わないと主張する人まで幅広く、さて誰を信用していいのかわからない。正解がありそうで、実際には正解がわからない状況を前にすると、人々は不安感を煽られる一方なのである。

その背景には時間が加速されている現代がある。「新型ウイルス出現だとわかっているのに、なぜ素早く治療薬やワクチンができないのか」と科学者に対して不満が向けられる。実際には、感染症が確認されてほぼ一年という短かい期間にワクチン接種が始まっているのだから、科学は大きく発展したとなぜ捉えないのだろうか（むしろ私は、ワクチンの早すぎる開発に、副反応や抗体の継続などの安全性・有効性に対して疑念を持っている）。問題があれば直ちに科学が解決してくれる、との科学への過大評価こそ科学を蔑ろにしているのではないだろうか。

科学的対応と政治的対応

つまり、コロナ禍に対する社会的対応は複雑系の最たるものであり、科学的対応とは大きくかけ離れていることが科学不信を生んでいるのではないかと思う。新型ウイルスの感染を抑える最善の科学的対応は、人間の接触を完全に遮断することである。そうすれば、たとえウイルス感染しても、体内ウイルスは孤立して行き場がなくなり、人体を殺すか（ウイルスも死んでしまう）、人体に抗体ができて免疫作用による共生の状態が生じるか、のいずれかになるわけだ。

コロナウイルスによる感染者の死亡率が1％なら、百人いて九十九人はウイルスと共生するのだから、それで十分とすればよいかもしれない。むろん治療によって死亡率は下げられるが、どんな疫病だって生存率100％はあり得ず、必ず死亡者は出る。それは医学の限界だから止むを得ないことなのである。その意味では科学的対応は単純で、感染症を抑える切り札は人間関係の遮断なのである。事実、今回のコロナ禍においても感染症の専門家たちが求めていることは、三密の自粛、集客業の営業時間短縮、社会的ディスタンスの確保など、基本的には人間の接触の遮断であることがおわかりだろう。

むろん、それが可能なのは、人口が少なくて人間の集団が閉じている場合のみである。現在の社会は人間が接し合うことで成り立っているから、接し合う場において感染する可能性が高まることは必定である。そのため、右の科学的対応を完全に履行することは不可能になり、何らかの措置を採らざるを得なくなる。ところが、社会は利害が相反する集団を数多く抱えている複雑系だから、社会を円滑に動かすには、中央政府からの何らかの法的措置や指令や要請や勧告という形で人々が共働するよう仕向けていかざるを得ない。それがいわゆる政治的対応で、そこには経済的要求や社会的動静を考慮しなければならず、科学的対応は諸条件の一つに過ぎない。政治的対応は幅が広く、どのような政治的対応においても、必ずそれから取り残されたかのように感じる集団は存在し、不安感・不信感で一杯になってしまうのも当然だろう。

都市のロックダウンや緊急事態宣言は、人間関係の遮断を優先する科学的対応を重視した方策で、ウイルス禍の発祥地の武漢で成功し、デジタル技術による人間管理を徹底した韓国や台湾でも成果を挙げている。しかし、それでは経済活動が低下してしまうとして、人間の密な接触を禁じていないスウェーデンのような国もある。ブラジルやアメリカも含め、政府の介入を抑えたこれらの国々の死亡率は高いことが報告されている。それも計算のうちだとするのが政治的対応ということになる。

日本政府の対応は経済的困難を軽減する意図を優先する余り、科学的対応は二の次・三の次となったことは否定できない。コロナ禍の一波や二波が治まって感染が一服した段階で、予測される三波を迎えうつため、病院や保健所などの医療体制の拡大・充実を実行すべきであったのにしなかったからだ。しかし、経済対策ばかりが優先されて、そんな対策には手が付けられなかった。この状況に対して、科学の専門家たちはもっと強硬に意見を述べるべきであった。

いかなる知恵を見出すべきか

ここで言いたかったのは、科学が得意とするのは単純系であり、コロナ禍に対しても有効なのは単純系への対処法であって、それ以上でもそれ以下でもないということである。言い換えれば、科学を過大評価しても過小評価してもならないということだ。

コロナ禍に対する政治的対応となると複雑系を相手にすることになり、科学者が求める正解は直ちに実施できなくなる。コロナ禍への政治的対応においては、科学的対応は一つの選択肢に過ぎないからだ。そうして、手が付けられない事態に追い込まれて初めて科学的対応が強化される。科学的対応を強化しなかった政治の責任を隠し、あたかも科学的対応に手抜かりがあったかのごとく政府は振舞うのである。その結果として、人々は科学に対する不信感を強めている。

今必要なことは、コロナ禍に対する科学的対応と政治的対応をしっかり切り分け、優先すべき科学的対応を効果的に行うための環境整備を応援することである。具体的に必要なことは、実は最も単純な医療資源の充実（医師・看護師・検査技師などの人的充実、ＰＣＲ検査の拡大と緊急病棟の拡充、コロナ禍の病状に応じた受け入れ病床の確保、一般病棟の確保等）なのである。これこそが科学を考慮した最善の政治的対応と言うべきだろう。

（労働大学「月刊まなぶ」21年1月号）

Ⅱ

日本学術会議の問題

菅内閣総理大臣が日本学術会議の会員候補者六名の任命拒否を行い、その理由について一切明らかにせず、むろんこの措置を撤回もせず、日本学術会議執行部との対立状態が続いている。菅首相が理由を一切口にしないので臆測するしかなく、この六人が政府の政策に対して反対あるいは批判的な意見を述べ、またそのような団体に所属していることが理由であろうと「忖度」せざるを得なかった。その結果、学問・言論・表現の自由に対する弾圧だとする当然の声が高まり、首相及び政府に対する抗議や批判や糾弾の声明などが相次ぐ状況となった（学術団体から、一三〇〇件以上の声明が発せられた）。

　他方でメディアは、以前から政府・自民党が日本学術会議の軍事研究反対の姿勢を嫌っており、それが腹の底にあって会員任命拒否の挙に出たのではないかと考えた。そのことがあって、以前から軍学共同反対の運動を行っている私に対して、どのような意見を持っているのかを問いかける原稿依頼が多くあった。いくつも同内容の原稿を書いたのだが、本意は、日本学術会議はかつては軍事研究反対を声高に言ってきたが、今や研究者の軍事研究に対する意識も変わっている状況を認めざるを得なくなっていることをまず述べた。かつてのように、ナイーブに軍事研究反対の旗を振る状況にはないのである。

そこで、日本学術会議としては、軍事研究に関わることによる学問の自由への脅威を警戒すべきことや、大学の自治として学問の自律性・自主性・公開性が保証されている事態をいかに保持するかについて、自分たち自身でしっかり考えるべきであることを科学者たちに求めている、と論じてきた。つまり、倫理規範を提示する日本学術会議であって、戦争反対の砦としての日本学術会議ではないことを踏まえていないと、足をすくわれる危険性があることを強調したのである。

果たしてこのような観測が正しいのかどうかは、今後予想される政府・自民党と日本学術会議との確執の帰結によるだろう。そのことを頭に描きながらまとめた文章をここに収録している。

日本学術会議会員発令拒否事件

日本学術会議については、全然知らない、あるいは学者の集まりとは知っているけれど自分とは関係ないと思っている人が多いだろう。そのことを残念に思いつつ、現在問題となっている日本学術会議から推薦された会員候補者のうち六名の発令を菅総理大臣が拒否した事件に大いに腹を立て、日本の未来に暗い影を落とすことになるのではないかと強く危惧している。ここで日本学術会議の歴史をおさらいして、なぜ日本学術会議という科学者の機関が必要なのかを話しておきたい。

戦前の富国強兵の時代、学問は、産業を盛んにし軍事力の強化に尽くすべきとされ、大学の自治とか学問の自由は全く問題外であった。学者は国家の意向に従うことが当たり前とされ、国民のための学問研究ではなかったのである。政府の思惑に沿わない学者に対しては、大学に圧力をかけてその学者を退職させたり、自主的に辞職するよう仕向けたりした。その結果、多くの学者は沈黙するようになり、国家に忠実な学者の意見のみが重用されるようになった。当時、「学術研究会議」と呼ぶ学者の機関があったのだが、政府に迎合して戦争に協力する活動に終始したのである。

敗戦後の一九四九年に新発足した日本学術会議は、第一回総会において、「これまでわが国の科学者がとり来たった態度について強く反省し」と、戦前・戦時中に科学者が国家に隷属してきたことを反省するとともに、「我が国の平和的復興と人類の福祉増進のために貢献する」ことを誓う声明を出した。また一九五〇年の第六回総会では「戦争を目的とする科学の研究には絶対に従わない」と決議をし、軍事協力を行わない立場を鮮明にした。以来、日本学術会議は時々の政府に対して厳しい批判を行うことも辞さずに意見表明してきたと言える。

一般に大学に勤務する学者は、研究を通じて学問の創造・発展に従事するとともに、若者への教育を通じて学術の成果を次世代に継承するという役割を果たしている。それとともにもう一つ、さまざまな問題について自由な立場で議論すること、とりわけ政府が打ち出す政策や方針に対して幅広い見地から論評し、時には批判するという重要な役割がある。国立大学の教員は国に雇われているのだから、政府を批判すべきではないと言う人がいるが、そうではない。むしろ、問題があると考えればきちんと批判することこそが、学識を身に付けた学者が成すべき仕事なのである。批判があってこそ、まともな政治を進めることが可能になるのだから。

そのような考え方の下で、日本学術会議は政府とは独立した国の機関として活動してきた。最初の日本学術会議会員の選出法は、全国区と地方区に分けた公選制で、修士課程以上の卒業者が有権者登録を行って、立候補した科学者への一般選挙が行われた。まさに「学者の国会」と言われるにふさわしい方式であった。日本学術会議としての活動も活発で、多くの共同利用の研究所の設立を勧告して実現させる一方、原子力利用に関する自主・民主・公開の三原則を打ち出し原子力基本法に反映させ、政府が大学の管理を強めることを狙った大学管理法に反対の意見を表明するというふうに、幅広い視野から科学の正しい発展と社会の事象についての国民目線に立った言論活動を続けてきたのであった。

このような日本学術会議の活躍を苦々しく思った自民党政府は、以来さまざまな手段で日本学術会議を孤立させようと画策してきた。まず一九五〇年代末頃から、それまで行ってきた日本学術会議への諮問をほとんど行わなくなった。つまり政府からの諮問とそれに対する答申（あるいは勧告）という形で政府とつながっていたのが、一方的につながりを拒否したのである。それに呼応したかのように、一九五九年に内閣総理大臣の諮問機関として科学技術会議を設置し、政府お気に入りの学者や財界人や団体役員などを任命して、自分たちに都合がよい答申を出させるという方式に変えたのである（その後、二〇〇一年には総合科学技術会議、二〇一四年には総合科学技術・イノベーション会議と名を変え、日本の科学技術政策を策定する場となっている）。その結果、日本学術会議が影の薄いものになったことは否めない。

軌を一にするかのように、教育体制や科学技術行政と深い関係にある文部省も、かつては日本学術会議に相談して各種の審議委員を依頼していたのだが、やがて自前で学術審議会を設けて日本学術会議とは無関係に文部行政を進めるようになった。大学の教員たちも、文部省とつながって将来計画に関する概算要求作りに参画でき、予算も扱えるというのでもっぱら文部省に肩入れするのが普通になったのも当然のことと言える。要するに科学者は日常の大学予算や装置計画に関して文部省との結びつきを強め、日本学術会議は学術行政に関して影が薄くなったのである。

とはいえ、日本学術会議として、国内外の科学の動向に関する諸問題について、科学者の立場で論評を加え、幅広い視点から科学と社会について議論し、勧告・要望・声明・提言・報告・会長談話などを通じて発信を続けるという地味な活動を続けてきた。特に、科学者の倫理や科学・技術と社会との関係などについて健全な意見を公表しており、それは現在も引き継がれている。政府の耳に痛い議論や批判が出ることが多々あるのは当然と言えよう。科学者の立場からの科学的・合理的な意見は、妥協や取引の多い政治家の立場と食い違うことは当たり前であり、そのような差異があることがむしろ健全なのである。

そうは考えない政府は、自分のお気に入りの科学者が多く選ばれるようにと、日本学術会議会員の選出法を変えさせることになった。それまで一般選挙で会員が選出されていたのを一九八三年には関連する学会からの推薦制とし、そこで選ばれた候補者を内閣総理大臣が任命するということにしたのである。一般選挙制だと人気取りになり偏った人間ばかりが選ばれているという理由をこじつけた。政府筋は、学会推薦であれば学会の長老が選ばれやすく、保守的な会員が増えて政府に楯突かないと期待したのであろう。このとき国会で、日本学術会議からの推薦を尊重し、内閣総理大臣が任命するのは形式的であるとの確認がなされていたことを忘れてはならない。

学会推薦で選出された会員は長老が多く、確かに所属学会の利益のための活動には熱心なのだが、科学全体を俯瞰して総合的に考える視野に欠けていたのは事実であろう（私は長老ではないが、日本天文学会推薦で会員を三期務めた）。また、学会活動を牛耳っているのは男性がほとんどであり、女性がほとんど会員に選出されなかった。実際、十九期の二一〇人の会員のうち女性会員はたった三人になってしまった。会員選出法に問題があるのは明らかである。

そこで二〇〇五年から、会員（と連携会員と呼ぶ準会員）が後任の会員を推薦するという現在の方式（コオプテーション）に変更することになった。この方式は各国のアカデミーが採用しており、会員が老齢化しないよう七十歳定年とし、女性会員の選出を奨励した。実際、二〇二〇年秋からの第二十五期の会員の女性比率は37％にもなっている。東大や京大に偏っていた大学構成も徐々に平準化されており、それなりに開かれた組織になっていると言えるだろう。

というような経緯で、現在の日本学術会議の会員が推薦・選出されるようになったのだが、その間のゴタゴタで一般の科学者の関心から遠ざかったことは否めない。また、現在の科学者は忙しく、研究に関わる以外のこと、特に科学と社会の関係や科学者の倫理に関する問題に関心を持つ科学者が減り、自分の研究にプラスになること以外についてはタッチしたくないと言明する科学者も増えている。そのため、日本学術会議の会員になって科学を取り巻く状況について意見を述べようという科学者を引っ張り出すのは大変になっている。

しかし、科学者は何ものにも束縛されずに自由に学問を続けたいとの望みは人一倍強く持っており、日本学術会議の会員に選出されたら、独立した国の機関として政府に隷属しない姿勢を持っているのも事実である。

今回の事件は、政府の気に食わない意見の持ち主だとして総理大臣が会員発令を拒否したものので、日本学術会議が再び戦前のような政府の気に入る学者のみの機関になりかねず、私たちは大いに怒り反撥している。今回の任命拒否が、将来にどんな禍根を残すかについて大いなる懸念を抱いており、最後まで菅首相に説明を求める所存である。

（大阪民主新報　20年11月1日）

日本学術会議と軍事研究

日本学術会議（以下、学術会議と略すことがある）会員候補者任命拒否問題が発端となって、日本学術会議批判の声が高まっている。なかでも日本学術会議が軍事研究に対して反対の意向を示し、大学等の研究者に対して学問の自由を奪っていることに自民党が反発しているのではないか、との推測記事がメディアから出されている。しかし私は、かつての軍事研究反対を大きく掲げた日本学術会議とは違って、最近の声明では、むしろ学術研究の自由を守ることに主眼を置き、軍事研究に従事しようとする科学者の倫理について論じていることを強調している。言わば、科学者に対する研究倫理委員会的な役割を果たしているのである。そのことも含めて、日本学術会議が打ち出してきた軍事研究に対する声明等の歴史を総覧し、現在の科学者の状況と比較しながらまとめておく。

日本学術会議第一回総会声明

日本は明治維新以来、先の戦争が終わる一九四五年までの間、天皇主権で富国強兵政策が貫徹していた国であった。大学の目的は「国家の須要に応じる」ことが第一の国家優先・国権主義であり、大学の教育・研究は国家の意向に隷属するのが当然とされた。そもそも「大学の自治」とか「学問の自由」という概念はなく、度々国家から言論思想に対する弾圧を受け、自由に物を言う雰囲気も気概も失われていた。その中での科学の研究はもっぱら国家のため、そして軍のためであり、人々の幸福のためのものではなかった。また、それを当然として科学者は戦争への動員に従順に応じてきたのであった。

おそらく、戦争に負けたことで科学者たちの目が開かれたのであろう。一九四九年に新生した日本学術会議は一月の創立総会において、「日本学術会議の発足にあたって科学者としての決意表明」を採択した。そこには「これまでわが国の科学者がとりきたった態度について強く反省し」とある。しかし、いかなる態度をとりきたったのか、どのように反省したのかについては一切書かれていない。この文章でまとまるまでに、多くの反論や異論があったのだろう。事実、坂田昌一は『科学者と社会　論集2』（岩波書店）において、「国家が戦争をはじめた以上、国民である科学者が、これに協力するのは当然のことであり、戦争が終わった現在、過去のことを云々するのは却ってよくないのではないか」という意見が総会の場で交わされたと記載している。この意見は、現在においてはもっと強くなっているかもしれない。国家の金で運営費が出ている日本学術会議は（国立大学も）国家の言うことに従うべきだという意見が堂々と出される現状があるからだ。

声明文は、「今後は、科学が文化国家ないし平和国家の基礎であるという確信の下、わが国の平和的復興と人類の福祉増進のために貢献せんことを誓う」と続いており、文化と平和と人々の福祉に貢献する科学であると宣言している。坂田は、理性が二度と後退しないよう最大の努力を捧げることは、科学者の世界人民に対する義務と言っているが、いわば科学者の原点とも言うべき目標が提示されていることが重要である。日本学術会議は戦争ではなく平和を希求する科学者集団であることを、その出発の理念に据えたのだ。

日本学術会議第六回総会声明とそれ以後

続いて出されたのが、第六回総会（一九五〇年四月）声明の「戦争を目的とする科学の研究には絶対従わない決意の表明」である。まず第一回総会の声明を確認した上で、「われわれは、文化国家の建設者として、はたまた世界平和の使として、（略）科学者としての節操を守るためにも、戦争を目的とする科学の研究には、今後絶対に従わないというわれわれの固い決意を表明する」としている。国会が戦争を放棄した新憲法を成立させたことを受け、自由選挙によって会員を選ぶ日本学術会議も「学者の国会」として平和主義の立場を宣言するとの決意表明であった。要するに、戦争を目的とする科学の研究＝軍事研究には絶対に従わず、「科学者としての節操を守る」ことを内外に表明したのである。

このときはそう深刻に議論されなかったようなのだが、やがて日本学術会議は戦争と平和に関わる「政治的」問題を扱うべきではない、との議論が展開されるようになった。まず、一九五一年三月の第九回総会では「戦争から科学と人類をまもるための決議案」が新村猛（しんむらたけし）らによって提案された。これは「再軍備及び再軍備等によって惹起される戦争から科学と人類をまもるために、いっそうの決意と努力をする」との平和のための決意表明なのだが、折しも勃発した朝鮮戦争を背景にして日本の再軍備が論じられる状況下では政治的だとの異論が強く出され、提案が否決されたのであった。

続く十月の第十一回総会では、江上不二夫など五名が共同で「講和条約調印に際しての声明案」が提案された。これは「講和条約調印に際し、われわれは、従来の声明を再び確認し、その声明を保障している日本国憲法を守るという固い決意を表明する」との極めて穏当な決意表明であった。しかし、「戦争を目的とする科学の研究」は絶対に禁止されるべきものか、朝鮮半島で戦争が起きているような情勢の変化がある中でも「戦争を目的とする科学の研究」に絶対に従わないのか、というような議論が持ち出され、この提案も否決されてしまったのである。

例えば、一九四五年八月六日に広島で原爆に被災した三村剛昂(よしたか)（広島大学・物理学）は、自らのような被爆者を生まないためにと強く戦争に反対し、第六回総会の決議に賛成していた。しかし、一九五〇年六月に朝鮮戦争が勃発するや反戦の意思を引っ込め、先の決議に賛成したのは「夢を追っておった」ためであり、世の中が変わっていく状況に学者も合わせねばならないと主張するようになった（以上、杉山滋郎『「軍事研究」の戦後史』ミネルヴァ書房）。

政府によって自衛論・再軍備・単独講和が先導されていくなかで、それらを直に議論することは政治的であり、日本学術会議にはふさわしくないとの意見が大勢を制するようになったのである。社会で賛否両論が広く戦わされている状況のなかでは、どちらかに与するのは「政治的」であり、国を代表するアカデミーとして旗幟鮮明（きしせんめい）に打ち出すべきではない、という中立主義的判断が優先されたと言えよう。このように、社会的な議論となっている諸問題には「政治的」というレッテルを貼ればタブーとなり、議論せずに済ますことになってしまう。この傾向が現在いっそう強まっていることは否定できない。

研究費の問題

先に紹介した坂田昌一の著書には、一九五〇年二月に開催された日本学術会議の「学問・思想の自由保障委員会」主催の講演会において坂田が行った講演が再録されている。そこでは学問の自由について、学問をしている者の生活が安定していなければならないことと、研究に必要なだけの研究費がなければならないこと、という経済的側面からの条件についてを述べている。坂田は、研究者の経済的状況をも研究の自由の範疇の問題として捉えていたのである。

そのことを象徴する逸話を同じ著書に書いている。「学問・思想の自由保障委員会」が一九五一年に全国の科学者に出したアンケートに、「過去十数年間において、学問の自由がもっとも実現されていたのはどの時期であったか」という設問があった。科学者からの回答において、「太平洋戦争中であった」という意見が非常に多かったというのである。その理由は、戦時中、臨時軍事費からの研究予算が潤沢に供給されたためであり、研究者が、研究費が多いことと学問研究の自由とを等値していることを意味する。坂田がこの事実を「過去において日本の科学者は学問の魂である自由の代償として研究費を稼いでいた」と解釈している。戦時中には学問の自由を捨て、軍から提示された軍事研究を行うとして研究予算を獲得していたのであるが、そのような卑屈な態度であったことに対する反省がなく、むしろ研究の自由があったという捉え方をしているというのだ。これに対して、坂田は「日本の科学者の学問の自由という問題に対する意識がいかに低いかを示したもの」として憤慨している。

現代の日本においては経常的研究費がバッサリ切られ、「選択と集中」政策によって研究予算が潤沢に支給される少数の分野がある一方、そこから外れた多数の分野では競争的資金と呼ばれる予算を獲得するしかなくなっている。あるいは、産業界との契約の下で得られる産学連携資金に頼るより他がない。これらの研究費は、研究テーマが予め決められ、資金の使い道に制限があり、時期がくれば成果報告を必ず出さねばならないから、研究の自由が大きく制限されている。それによって、研究の質が押し並べて低下していることも事実であろう。しかし、研究者は何であれ研究費の高を研究の自由と思い込む習癖があり、節操もなく軍事研究によって研究予算を手に入れ、質の良し悪しは問わずに研究を続けたい、と望んでいる。研究者を籠絡するには研究費を利用すればよいのである。

米軍資金

そのことを明確に示しているのが米軍資金である。一九六七年に「朝日新聞」のスクープによって暴かれたのだが、一九五九〜六七年の間に、アメリカ軍極東研究開発局から、日本の国立大学など多数の団体が、全体として三億八七〇〇万円もの研究資金を受けていたのだ。米軍からの資金提供の誘いの手口は、業績報告が簡単であり、成果の公開も自由である、基本的にはこれまでの研究が継続できる、軍事研究の雰囲気が薄く通常の民生研究が続けられる、というもので、気楽に乗りやすいのである。当時の日本の研究費システムでは特に科学者同士の国際交流が困難で、米軍資金は大いに重宝された。

米軍の目的は、ソフトパワーとして文化・友好・交流などを通じて日本人研究者との関係を築いて囲い込むというもので、ほとんどのケースについて、すぐに軍事研究に誘い込むわけではない。むろん、研究課題に軍事的な魅力があると判断すれば、秘密研究に誘って大量の資金を投入して本格的に軍事開発を行う用意はしている。実は、これらはアメリカ国防省高等研究計画局（DARPA）の手法で、民生研究を渉猟しながら軍事研究に結び付けていくという、彼らのお得意の戦術なのである。

実は、この米軍資金は現在に至るまで継続しており、時折新聞社が調査結果を報道しているが、人々の批判的な意見が年々薄れているように感じている。研究者が個人で応募して資金を得るのは自由であるとか、軍事に直結しない研究ならそう目くじらを立てなくてよい、というような感覚になっているためである。さて、日本の研究組織が米軍の配下になっていってよいものであろうか？

物理学会の決議案と第二回の軍事研究拒否の声明

この「朝日新聞」のスクープがきっかけで、日本物理学会が一九六六年に開催した「半導体国際会議」に米軍から資金が出ていたことが明らかになり、物理学会は大騒ぎとなった。軍事研究には与しないとの原則的立場を貫いてきた多くの物理学会会員にとっては寝耳に水の大事件で、臨時総会を開いて学会としての態度を明確にすることになった。そこで採択された決議の一つがいわゆる「決議三」で、「日本物理学会は今後内外を問わず、一切の軍隊からの援助、その他一切の協力関係を持たない」というものであった。米軍のみならず自衛隊との協力（自衛隊員との共同研究など）も行わないことを決めたのである。まさに日本学術会議第六回総会声明にあった「科学者としての節操を守る」意志を明らかにしたものと言えよう。

この「決議三」は賛成1927、反対777、棄権639、無効57で採択されたのだが、反対・棄権を合わせたかなりの数の会員が、決議案に同意しない・躊躇(ちゅうちょ)するという態度を表明した。「科学の発展に寄与するのだからよいではないか」との意見が強くあったのだ。さらに、諸外国では、軍との共同研究や軍からの資金提供は普通に行われており、軍関係の研究者が多くいるのだから、「決議三」のような厳しい制限は世界に通用する学会とは言えない、という意見が強くあった。「世界標準ではない」というわけだ。おそらく現在同様な投票が行われたら逆転することは確かだろう。

その実例として、当の日本物理学会が一九九五年に委員会議（日本物理学会を代表する会議）において、「研究費が軍関係から出ていたり、軍関係者の研究が提出されても、その研究内容が明白な軍事研究でなければ拒否しない」との決議を挙げている。つまり、「明白な軍事研究」でなければ軍関係者との協力を許容すると、基本原則を大きく変更することになったのである。では、「明白な軍事研究」とは何か、軍事研究と民生研究の区分けが曖昧な中で、さらに「明白な」を付けて軍事研究の区分けをすることに意味があるのか、という疑問が湧いてくる。このように、軍事研究に関する研究者の意識が後退し、現在につながっていることを忘れてはならない。

米軍資金問題は国会で議論になり、当然日本学術会議でも論争になった。ベトナム戦争における日本の間接的な軍事行動への加担に対し、批判的な世論が盛り上がっていたこともあって、一九六七年十月の日本学術会議第四十九回総会において「軍事目的のための科学研究を行わない声明」を出した。

ここでは、まず「現在は、科学者自身の意図の如何に拘わらず科学の成果が戦争に役立たされる危険性を常に内蔵している」と、科学の成果が戦争に利用されている現状を押さえている。ベトナム戦争が念頭にあったのだろう。そして、「科学以外の力によって、科学の正しい発展が阻害される危険性が常にわれわれの周辺に存在する」と、軍事機関からの資金提供が科学を邪（よこしま）な方向に誘導する危険を指摘し、「われわれはこの点に深く思いを致し、決意を新たにしなければならない」と科学者としての姿勢を点検すべきと呼びかける。そして、「ここに日本学術会議発足以来の精神を振り返って、真理の探究のために行われる科学研究の成果が又平和のために奉仕すべき」という科学者の原点に立ち戻って、「戦争を目的とする科学の研究は絶対にこれを行わないという決意を表明する」と、第六回総会の声明を再確認したのであった。

以上の、日本学術会議が一九五〇年と六七年に出した二つの軍事研究拒否の声明は、科学者からの明確な態度表明であり、大学等の科学者が、軍事研究とは一線を画して研究を行うことを当然とする雰囲気を作る根源となった。今日、世界のいずれでも科学者が軍事研究を行うのが当たり前であることを考えれば、日本は公的には軍事と関係しない科学を追究している稀な国であったのだ。ベトナム戦争が背景にあって反戦的雰囲気が強かったこともあるが、当時の日本は科学者が軍事研究に対しての拒否の意思を公表するだけの健全性が維持されていたと思う。それには社会の雰囲気が反映されていたことも確かだろう。

とはいえ、現在ではそのような雰囲気は薄れている。実際、軍事研究に対して科学者に「明白な軍事研究ではない」「直接、軍事目的に利用されない」「デュアルユースである」との言い分が広がっており、現実に国の制度として軍事研究が研究現場に入り込む事態が生じているのである。

防衛装備庁の「安全保障技術研究推進制度」

その発端は、第二次安倍内閣が発足して間もない二〇一三年十二月の「国家安全保障戦略」の閣議決定において、「大学や研究機関との連携の充実等により、防衛にも応用可能な民生技術（デュアルユース技術）の積極的な活用に努める」との方針が掲げられたことである。これは民生技術を軍事技術として取り込むこと、つまり民生研究を行っている大学等の科学者を軍事研究に動員する方針を明らかにしたものであった。それを受けて、防衛省は二〇一五年度に「安全保障技術研究推進制度」を立ち上げ、技術本部を防衛装備庁に格上げして主宰する形とした。軍事組織である防衛装備庁からの防衛装備品開発のための資金提供は、明らかに軍事研究を拒否してきた日本学術会議への挑戦であり、研究費不足に悩む科学者を軍事研究に誘い込む餌であることは明らかだろう。

その謳い文句は「防衛分野での将来における研究開発に資することを期待し、先進的な民生技術についての基礎研究を公募・委託します」という「公募要領」に書かれた文言に象徴的に表れている。防衛装備庁の委託研究なのだから、「防衛分野での開発研究に資する」と書かざるを得ないのだが、ここに「将来における」との言葉を挟むことによって、直接的な軍事目的の研究に直ちにつながらないとの印象を抱かせるのである。そして、いかにも「民生技術」を募集しており、「基礎研究」であることを強調している。応募する研究者に、民生技術の募集だと誤解させ（そもそも防衛装備庁が純粋の民生技術を募集するはずがないのだが）、また基礎研究であれば軍事研究ではないとの一般に流布している理解で安心させているのである。

さらに装備庁は、研究成果の公表を制限しない、特定秘密を始めとする秘密に指定することはない、防衛装備庁の職員が進捗管理を行うが研究には介入しない、ということを特記している。これら三点は、応募を考える研究者が防衛装備庁の委託研究であることから抱く当然の懸念に対して、その心配はないとわざわざ保証しているのである。しかし、この保証はこの制度が定着して市民権を得るまでのことでしかないだろう。実際、応募した技術が真に軍事的に有効であると判断すれば、公表を控えさせ、特定秘密に指定するのは当然で、いつ何時三つの約束が反故になってしまうかわからないからだ。そこが軍事研究の怖さなのである。研究費不足に悩む研究者はそれを承知で研究資金を得ようというわけだ。

日本学術会議の三度目の「声明」

この「安全保障技術研究推進制度」ができて、「戦争のための研究を行わない」との声明を二度まで出した日本学術会議としては対応せざるを得なくなった。当時の会長が「自衛のための軍事研究は許される」との立場を公言したためもある。それを許容してしまえば、軍事研究には従事しないと宣言してきたこれまで二度の声明が反故になってしまう。そこで会員からの要求もあって、二〇一六年五月に「安全保障と学術に関する検討委員会」が発足し、防衛装備庁の委託研究制度も含め、国家の安全保障と学術に関わる問題がさまざまな角度から議論された。ほぼ一年間議論されて公表されたのが「軍事的安全保障研究に対する声明」（二〇一七年三月二十四日）であり、それを補足した「報告　軍事的安全保障研究について」（二〇一七年四月十三日）である。いずれも幹事会発出となっており、特に「声明」が総会決議事項でなくなっていることに、現在の日本学術会議の不安定な状況が暗示されていると言わざるを得ない。

この「声明」と「報告」では、「軍事研究」と呼ばず「軍事的安全保障研究」と呼んでいることが特徴的である。「軍事研究」と呼べば、その定義から悶着が起きることを回避するため、軍事的な手段による国家の安全保障に関わる研究と一般化した表現にしたのであろう。むろん、防衛装備技術の研究もこれに含まれるとして、防衛装備庁の「安全保障技術研究推進制度」をターゲットにしているのは明らかである。

この「声明」では、最初に、軍事的安全保障研究が「学問の自由及び学術の健全な発展と緊張関係にあること」を確認し、「戦争を目的とする」（第六回声明）あるいは「軍事目的のための」（第四十九回声明）科学研究を行わないと宣言した、過去二回の日本学術会議の「声明を継承する」と書いている。論理的に言えば、日本学術会議としては軍事研究を拒否してきた精神を引き継ぐ（継承する）ことを宣言したのである。その論拠は、研究の自主性・自律性、そして研究成果の公開性が担保されるべき学術研究が、政治権力によって制約されたり動員されたりすることこそが、学問の自由への重大な障害であり、軍事的安全保障研究には研究の方向性や秘密性の保持をめぐって、研究者の活動に政府による介入が強まる懸念がある、ということにある。学問研究の自由の原則を鮮明にしたのだ。

そして、防衛装備庁の「安全保障技術研究推進制度」に対しては、将来の装備開発につなげるという明確な目的で公募・審査が行われ、装備庁内部の職員が進捗管理を行うという点で、「政府による研究への介入が著しく、問題が多い」と述べているだけである。むろん、「政府による研究への介入」との言い方から、この制度が学問の自由を脅かす可能性のあることを示唆しているが、露骨に防衛装備庁の制度に反対を表明しているわけではない。

「声明」のこれに続く文章で、防衛装備庁の制度とは切り離して、一般的に軍事的安全保障研究について、その成果は軍事目的に、さらに攻撃的な目的のために使用され得るから、研究の入り口で資金の出所等の慎重な判断をすべきであることを述べている。そのために、大学等では具体的に研究の適切性を目的、方法、応用の妥当性の観点から、技術的・倫理的に審査する制度を設けるべきとのアドバイスをする。あたかも、医学の現場で新たな手術を行う場合に倫理委員会が設けられ、その医療の倫理的側面が点検・議論されるべきであるとの提言に相当していると言えようか。軍事的安全保障研究について、さまざまに倫理的な問題が掘り出され討論されるのは推奨されるべきことであり、そのための材料として本声明を活用することを望んでいるのである。

「声明」の特徴

この「声明」は極めて慎重な書きぶりで、軍事研究に関わる「政治的」議論に入り込むのを避けている。そのことは、防衛装備庁の「安全保障技術研究推進制度」について、「問題が多い」とは述べるが明確には否定せず、軍事的安全保障研究の適切性を自分たちで議論して共通認識を形成すべき、とだけ言っていることからもわかる。そのようなアドバイスを得て多くの大学で議論が交わされ、自主的に応募を控えるという動きになっているのが現在の状況であって、日本学術会議が先導してこの制度をボイコットするよう唆(そそのか)したわけではない。

この「声明」においては、軍事的安全保障研究そのものの諾否や自衛のための戦力の保持などの議論に踏み込むことは、賛否が拮抗して身動きがとれなくなってしまうことを警戒して、意図的に避けている。また過去の声明に使われた「戦争目的」「軍事目的」という言葉を使うことも控えている。自衛のための戦争や集団的自衛権の行使に伴う戦争について敷衍せざるを得なくなり、まさしく「政治的」な議論に発展して決着がつかなくなって、下手すると日本学術会議が分裂しかねないからだ。さらにあえて言えば、防衛装備庁という政府機関が創設した制度に大っぴらに反対できるほど、日本学術会議は強い組織ではないと私は思っている。

それらを考慮して、「声明」はこれまでの日本学術会議の精神を生かすべく、ギリギリの判断と表現をしたのである。従って、日本学術会議が軍事研究反対の旗を振ったと大げさに非難するのは的を射ていない。日本の科学者の状況を反映している日本学術会議でもあることを押さえておかねばならないのではないか。

（晶文社刊『学問の自由が危ない』21年1月 所収）

科学技術政策と日本学術会議

菅内閣総理大臣による日本学術会議会員任命拒否問題が勃発したのだが、皮肉なことに、これほど日本学術会議がマスメディアを賑わせたことはこれまでなかったのではないかと思う。今や日本の科学技術政策の動向を決めているのは内閣総理大臣が直々に招集する「総合科学技術・イノベーション会議」であり、日本学術会議はいわば閑職に追いやられて、メディアもほとんど報道することなく、世間の耳目を浴びることがなかったからだ。

しかし、今年度のノーベル化学賞を授与されたゲノム編集技術の臨床応用に関わる倫理的問題点についての「提言」が出されているように、科学技術に関連するさまざまな問題を議論して「提言」や「報告」を数多く出している。それは直接的ではないが各省庁での審議会や各地の検討会の議論にも影響しており、幅広い視点からの科学者からの貴重な意見表明として、日本の科学技術の施策に対して縁の下の力持ち的な役割を果たしていることは確かである。「日本学術会議はどう言っているのか」は、さまざまなレベルでの議論の出発点として頼りにされているからだ。

ところが、マスメディアは事件が起こらないと報道せず、このような地味で基礎的な観点からの立論は無視して社会に伝えないから、日本学術会議がどんな仕事をしているか人々はあまり知らない。その上、日本の政治家は（社会も？）、学者というものは暇人であって、趣味で研究を行っていると思い込んでいて、科学的観点からの提案・提言は無駄話同然としか受け取っていない始末である。科学者の集団であるアカデミーが果たしている役割についての理解度が低いと言わざるをえない。日本は科学者を祭り上げるのだが、あまり重要視しないのである。

日本学術会議は原子力三原則の提議のみならず、実は一九七〇年代までは、政府からの「諮問」と日本学術会議からの「勧告」によって、数々の大学共同利用機関が創設され、日本の科学の基層力を培うのに大きな寄与をしていた。科学の分野を広く見渡し、今後重要になると自信を持って基礎科学の領域を世界に先取りし、学術行政として推進する道筋を整えたのである。のみならず、民族学博物館や歴史民俗博物館などの文・社系分野にも目配りを忘れなかった。日本の学術体制を共同利用機関方式（個別の大学では設置困難な大型施設や大量の資料を保有し、全国の大学の研究者が共同で利用する方式）で整備したのは日本学術会議のクリーンヒットであったのだ。

ところが、一九五九年に科学技術会議が発足し、二〇〇一年に総合科学技術会議へと看板を書き換えて主導権を握り、科学技術基本計画を策定するようになった。日本の科学技術政策を政府のお気に入りの委員の議論に委ね、近視眼的な方針が次々と打ち出される状況がもたらされたのである。最初に持ち込まれたのが「選択と集中」政策で、「役に立つ」とみなした分野は重用して予算を集中投下し、真に基礎的な学術分野は当面の「役に立たない」分野と見做されて軽視され、研究費配分から外されるようになった。

その揚げ句が、二〇二〇年年六月に「科学技術基本法」が改訂されて「科学技術・イノベーション基本法」となったことである。政府や文科省は産学連携とベンチャー育成によるイノベーション創出にしか目が向かなくなってしまったのだ。このままでは日本の科学の基層力がどんどん衰え、科学の一流国から脱落することは必至である。そうなると、技術のイノベーションすら行えなくなってしまうことは当然覚悟しなければならない。科学技術は大事に息長く育てること、そのための投資を続けていくことが決定的に重要で、無駄なように見えるからこそ私たちは口を酸っぱくして主張してきたのである。ところが現実はそうはなっていない。

この十年来、欧文で発表される論文数等で測定した日本の科学技術の創造力が落ちていることは周知の事実である。科学における日本の凋落が始まっているのだ。それを知りつつ、そのまま無視して今の路線が強行されている。このような日本の科学技術の凋落に、日本学術会議は心を痛めているはずなのだが、政府の科学技術政策を正面から批判していない。私はこれを不満に思っている。しかしこれは、今回の会員任命拒否事件とは別問題である。

今必要なのは、日本学術会議が行っている活動を広く市民に示し、さらに予算不足で実行できていないことを掲げて、無責任な「改革案」に対抗することである。国を代表するアカデミーに十億円ぽっきりしか出さずに、科学技術創造立国の看板を掲げているのは実に恥ずかしいことなのだから。

（中日新聞 20年10月24日）

科学者のノブレス・オブリージュ

菅首相は、日本学術会議の会員候補者任命拒否問題において、任命拒否した六人に関しての説明を一切しないまま、国会の予算委員会の審議で支離滅裂の答弁を衝かれるや、「説明を控えさせていただく」の一点張りになってしまった。

このような状況の中で、菅首相の支持率は最初大きく下落したが、今は下げ止まりとなっている。携帯電話料の引き下げとかハンコの廃止など、いかにも人々の気を惹く政策の効果かもしれないが、少なくともこの任命拒否問題では菅首相があまり批判の対象となっていないようだ。この問題は言論・表現の自由に関わってくる重大問題なのに、なぜ社会の反応が鈍いのだろうか?

その主要な原因として、学者に対する人々の反感があるのではないか。もしそれが的を射ているのであれば実に不幸なことで、それを救う何らかの方法がないか、少し考えてみたい。

まず、学術会議の活動があまり人々に知られていないことは認めざるを得ない。学問研究で得られた知識や知見は誰もが利用することができる「公共財」であり、広く社会と共有されるべきである。特に、学術会議が国の機関であるということは、そこで議論された知見が広く国民に知らされねばならないことを意味する。しかし多くの人々は、学術会議の活動を知らないままであり、何もしていないと思っているから学術会議は不要だと決めつけている。

実際には、学術会議の委員会はさまざまな問題点について専門的な立場から議論した結果を「提言」の形で数多く公表しており、それは省庁の審議会や教育現場などの議論の出発点として、縁の下の力持ち的な影響を与えている。しかし残念ながら、その活動はあまり知られておらず、知っていてもなかなか理解されずにいる。時には、学者が勝手なことを言っているに過ぎないとして、否定的な捉え方が通用してしまう。優れた研究成果を持つ科学者が多く集まって討議し、時間をかけて検討して仕上げた「提言」が十分に理解されず、広く活用されていないのが実情なのである。

その原因として、「提言」を出したことをもって義務を果たしたとし、科学者自身が「提言」内容を活かす活動を行っていないこともあるだろう。せっかく「提言」を苦労して仕上げたのだから、それをまとめた科学者が主宰して、各地で「提言」に関する説明会や懇談会を持って内容を深める機会とすべきなのである。さらに、議員を呼んで国政や地方行政の議論の舞台に上げることがあってもいい。縁の下の力持ちではなく、学問の成果が現実に影響を及ぼし得る状況を作ることではないだろうか。

ところが、日本学術会議にはそのようなフォローを行うための費用が一切ないから、現状では不可能だと初めから諦め、科学者も「提言」を出すことで自分の仕事は終わったと満足している。人々は、そのような科学者の姿に、ある種の傲慢さを感じて反発している向きもあるのではないだろうか。

科学者は、社会から知的活動をすることを委ねられた社会的なエリートである。エリートであると自覚するなら、自分たちが得た成果を積極的に市民に伝える社会的責任、つまりノブレス・オブリージュがあることを自らに課す必要があるということだ。市民は、そのような科学者が増えることを期待して、学術会議に予算をもっと増やすことを支持すべきであろう。

科学者の意識的な啓発活動であるアカデミックな議論が、普段からふんだんに展開される雰囲気が広がっている日本でありたいものだと思う。

（中日新聞 20年11月21日）

Ⅲ

科学を志す若者へ

講演録

多い時は年に五十回、少ない時は年に二十回くらい講演を頼まれて、各地に出かける。テーマは軍学共同、原発問題、平和運動、大学問題、学問論、宇宙の進化、科学について、など多岐にわたっている。大体は言いっ放しなのだが、録音して文章に起こし講演録として残されることもある。その場合、話し言葉のままでは読みづらく、またメリハリがつかないことが多いので書き直さねばならず、手を入れて修正するのが大変である。それだけに、文章が整った講演録に仕上がると、やはり残しておきたい気になる。ここには、そのような講演の記録を収録した。話し言葉で「です、ます」調の文章のままで採録したのは、臨場感が少しは感じ取れるのではないかと思ったためである。

講演は、当然、依頼者の集団があって、希望されるテーマと講演時間が決まっており、その範囲内で私が語りたいと思う内容を絞り込むことになる。だから、それぞれが異なっていて多様であり、聴衆も、子どもの本の編集者、大学の教育学の先生、高校の国語の先生、中学や高校の学生、科学に素人であることを自認する文系の先生、母親大会に参加された地域のお母さんたちなどさまざまである。それだけに、聴衆が自然に話に入っていけるよう、意を尽くして講演したつもりである。どれも一回切りの話で、後から見ればもっと別の示唆に富む話も付け加えるべきであったと反省させられるのだが、それはそれで仕方がない。

とはいえ、聴衆と直に顔を合わせてしゃべり、聴衆の反応を見ながら話を続けていくのが講演だから、緊張した気分がずっと持続していて、出来上がった講演録を読むときにもその気分が思い出され愛着がある。そんな高揚した気分が少しでも伝わればと思っている。

進展する軍学共同と子どもの未来

私の子育て体験と子どもの読書

私は子どものころから本は好きでしたが、その頃は親子読書というようなものはあまりありませんでした。そのためか、親になってから、子どもと親子読書をするようになりました。もともと本は好きで、定年退職をしたら一人書斎にこもって読書三昧という生活にあこがれ、古本を沢山買い込み部屋に積み上げているのですが、退職してみるとなかなかそうした時間が持てず「積ん読」になっています。

少し私の子育て体験をお話ししてみましょう。私は一九七二年に結婚し、翌年一人娘を授かりました。一九七七年十二月までの五年半は同居しましたが、その後一九九二〜九七年の大阪（阪大）以外は、札幌（北大一九七七〜八五年）、東京（東大、国立天文台一九八五〜九二年）、名古屋（名大一九九七〜二〇〇五年）、葉山（総合研究大学院大学二〇〇六〜一四年）と、三十二年間単身赴任生活を続けてきました。妻も大学の教師でずっと京都にいたためです。おかげで、私は自分の身の回りのことは何でもできますし、今でも自分のことは（下着や洋服の買い物も含めて）全部自分でします。そんな中で、一九八六〜九一年、娘が中二から高三までの五年間ですが、私が単身赴任をしていた東京で二人で暮らしました。そのあと娘は福祉の専門学校を出て、今は京都で高齢者福祉施設のケアマネージャーをしています。

その娘が二、三歳のころから、寝る前に声を出して本を読んであげました。一緒に住んでいる時は毎晩、単身赴任中も帰った時には必ず本を読みました。声を出して本を読みながら対話するということはとても重要です。日本語の構造を体で受け止め、接続詞の使い方や言葉のつなげかたなどに気を配るようになり、文章力をつけることにつながるからです。また、読んだ後に感想を聞いたり、質問を受けたりといった話し合いができるのも、対話型読書の良いところです。この対話は、後の五年間の二人暮らしの間も続きました。

昔のアメリカのテレビ映画の「パパは何でも知っている(Father knows best)」ではなんでもパパに相談していました。私たちもそうで、あの当時は固定電話しかなくて、「何々さんから電話だよ」といって私が取り次いでました。だから娘のボーイフレンドについては全部知っており、長電話をしていると「そろそろ三〇分ですよ」と声をかけるといったことができたわけです。あのような密着した関係があったからこそ、家族の交流がいつまでもできるので、大切な時間だったと思っています。

ですから、こどもと共通の本を読み対話をするには、こちらの思いを強要しないようにし、とにかく続けることが大事なのではないでしょうか。そのような経験もあって、私は子ども向けの本をたくさん書くことができました。『お父さんが話してくれた宇宙の歴史』(岩波書店)が最初で、そのあともいろいろ書きました。例えば、「娘と話す」シリーズの現代企画室の本は、もう娘は三十歳になっていましたが、二人暮らしをしていた時の十五歳頃の娘のイメージのまま、その娘と対話をするつもりで書きました。このシリーズでは『娘と話す　地球環境問題ってなに？』『科学ってなに？』『宇宙ってなに？』『原発ってなに？』を出版しましたが、娘がどう思っているか考え、ああ言うかな、こう言うかなと思いながら書いたのです。このように対話をすることが日常的になっているということは一生続くもので、今でも、娘から仕事上の愚痴や心配事の相談なども話してきますし、私なりに答えています。子育てはまさに対話だと思います。

いよいよ正念場を迎えた日本

安倍内閣が解散・総選挙を強行するということになりました。この解散はいろいろ言われていますが、私は「ボク難突破解散」というのがぴったりくると思っています。マスコミでは、安倍、小池、リベラルの三極からの選択といっていますが、実際には「戦争ができる国」と「戦争を拒否する国」の二極の選択だと思っています。選挙区に支持する候補者がいない場合もありますが、戦争ができる国を選択するか、戦争を拒否する国を選ぶか、という視点で相対的に判断することが必要です。選挙に行かないという判断は結局、現政権を容認するという意思表明になるということを心に留めておくべきです。

安倍政権下での日本の危機が差し迫っており、来年には憲法改正を仕掛けてくるかもしれません。第一次安倍政権が一年間にやったことは、民主的な教育基本法を道徳重視にさっさと変え、防衛庁を防衛省に格上げしたことです。第二次以降の安倍政権は次々と悪法を通してきたのですが、その多くを閣議決定で済ませ、国会で議論することなく一方的に数の力で押し進めています。これは今までの自民党政権とまた違うところです。

私自身は科学者ですから、科学に関わることを批判し課題を提起しています。なぜ、安倍さんの強引なやり方が通ってしまったのかを考えてみると、そこには安倍さんのうまい戦術があります。いつも経済を表に出してきていることです。また、選挙ごとにキャンペーンの目先を変えるという巧妙な手を使っています。他方、国民の側にも問題があり、安倍政治の受け止め方・考え方、そして私たちの生き方が問われていることを自覚する必要があります。つまり、国民が安倍政治の流れを忖度してしまっているということも一因なのです。その原因を考えてみました。

一つには、なぜこんなにも日本人は経済優先の体質になってしまったのだろうかということです。例えば、加計問題の時、日本の経済を停滞させる岩盤規制に穴を開けることが大切だというのだけれど、本当に規制を取り払うだけでよいのか、規制をして国に責任を取らせることも必要ではないか、というようなことをじっくりと考えなければいけません。規制がすべて悪いわけではないのです。国鉄が民営化されてＪＲになって、沢山の採算が取れない路線は廃止されてしまい、不便を強いられる人が多く出ました。赤字路線だから仕方がないとしているのですが、それでよいのかという問題です。生活弱者やマイノリティの苦労は切り捨てて経済優先で進める、それでいいのかと私たちに問いかけられているのです。私たちはマジョリティの側にいることが多いと思うのですが、最大多数の最大幸福だけで済ませてしまってよいのかということです。民主主義が成熟していくということは、多数派のための施策だけではなく、弱者やマイノリティの人たちも健全に暮らしていけるシステムを作っていくことであり、そのような対応を大事にすることこそが本当の民主主義ではないか、と考えるべきではないでしょうか。

今日、大衆運動が衰退し、読書体験が喪失しているという問題もあり、スマホ、SNSを使い、短い言葉のやりとりによって生活や社会が成り立っているという幻想が持たれています。短い言葉の積み重ねだけで、本当の思想が語れるのだろうか、と私は思うのです。このような社会がずっと続いていくと思想家なんて出てこなくなるのではないかと懸念しています。思想や哲学はいかなる状況で生まれてくるのでしょうか。先ほどの音読ではないのですが、きっちりとした文章を連ね、文章の流れ全体を把握していく体験が必要です。そういう体験が失われていくことが、今の政治をじっくりと考えるという習慣をも失うことに繋がっているのではないか、と心配しているのです。

それと日本人の特質として、忖度、同調性、和の精神というのがあり、そのためにはお上に従うのが一番、そういうことがずっと続いてきました。でも、そうじゃないだろと問い返し、じっくりと責任の在りようを考え、時間はかかるかもしれないがゆっくりと誰もが変わっていくという経験を積み重ねる必要があります。そうでないと、日本という国は無責任ばかりが積み重なっていき、誰も責任をとらないことになってしまいます。原発事故という、あれだけ大きな事故が起こっても誰も責任を取っていません。これでよいのか。想定外という言葉で片付けられているけれど、だれが、どこまで、どういう立場で事故の推移の想定をして、それぞれの責任を取るのかということが問われているはずなのです。だれが責任を取らなければいけないかを明らかにするのは、現在の社会では裁判でしかできません。それだけでよいのかということです。

科学、あるいは大学の危機

今、大学は危機的な状況に追い詰められています。国立大学の場合、三十年以上ずっと「大学改革」ということが言われ続けてきました。一九九六年からは五年ごとに科学技術基本計画が策定され、日本の科学技術政策の根本を決めてきました。そこで打ち出された「選択と集中」「経済論理の導入」「競争原理の貫徹」という三つの流れが現在の大学の運営を決めています。

「選択と集中」は重点分野を選択し、選択した分野には集中的に投資するということです。言い換えれば、選択されなかった分野は見捨てられるということになります。代表的な例は、あまり経済に役に立たない文科系・社会系は減らし、理工系、医学・農学系に転換させるということです。例えば、iPS細胞の研究費は、日本が世界をリードする技術という理由で、他の分野の研究資金を削って総額で年百億円とも言われ、集中的に投資されています。さらに全体の研究予算も減っているので、二重に削られるところはたまったものではありません。このようなことが日本の科学技術政策として行われているのです。

これからお話する二〇一五年からの軍学共同の開始は「学術の軍事化」のことです。むろん、「教育の軍事化」も進んでいます。具体的には小中高は学習指導要領によって文科省路線が色濃く染み渡っています。君が代・日の丸はまさに統制に近い形でやられてきたのですが、昨年から幼稚園と保育園へ、そして大学にも文科省からの通達がありました。保育園の幼年時代から成人の大学まで、ずっと君が代・日の丸の強制が貫徹されていく状況になってきているのです。

二〇〇四年に国立大学が法人化され、それ以来十年以上文科省からの予算が毎年1%ずつ減らされてきたので、累積して既に10%以上予算がカットされ、特に研究予算が非常に厳しくなっています。そのために防衛装備庁からの資金に応募しようというふうに、大学を軍事研究へ向かわせるひとつの圧力になっているのです。

科学技術のデュアルユース

科学者というのは、一般の人よりも物事を突き詰め、余分の知識を利用して武器を作り出す能力を持っています。これを戦争に利用するということが昔から続いてきました。人類最初の物理学者であったアルキメデスの時代から、科学者の能力を戦争に活かそうというわけです。エジプトでは、ピラミッドを造る時、原理はわからないが経験知によってテコが使われていました。アルキメデスが原理を明らかにすると、いろいろなものに応用することができるようになったわけです。戦争の道具として、非常に重いものを崖の上に持ち上げて、敵の頭上から落とすというように武器とすることも考えるようになりました。科学者の持っている知識は、人々の生活に役に立つと同時に、軍事にも役立つという二面性を持っているのです。

現在では、これをデュアルユース（二面性）と呼んでいますが、あらゆる科学技術は民生用にも軍事用にも等しく使えるという二面性を持っています。どちらの面にしろ、それをいかに有効に使うかということに、科学者の知識・知能が利用されてきたわけです。

科学技術が発展した第一次世界大戦の頃には、科学者・技術者は層として存在するようになり、戦争に組織的動員が行われました。まず、民生利用のために開発された既存の技術を軍事用に転用することから始まりました。例えば、キャタピラー付きのトラクターから戦車、一人用の潜水具から潜水艦、飛行機の軍事利用、消毒のために開発された塩素ガスを毒ガス兵器にといった、既存の技術をいかに戦争に使うかという研究が行われたのです。

第二次世界大戦になると、新たな原理による新兵器を造り出すという段階になっていきます。

典型的なのは原爆で、それまで知られていなかった原子核の世界の現象を利用したものです。あるいはマイクロ波と呼ばれる波長の短い電波の利用で、これは殺人光線と呼ばれました。大きな電子レンジを作って人間を入れてチンするとどうなりますか？　電波はまさに殺人光線になるのです。

第二次世界大戦後は、戦争のために開発された技術を民間に開放し、人々の生活に役立てるということが行われました。コンピュータ、インターネット、電子レンジなどがそうです。このように軍事的な技術と民生的な技術が互いに入れ替わるのです。民生的な技術を軍事技術に使うのを「スピンオン」、逆に軍事技術を民間に開放することを「スピンオフ」と言いますが、まさにデュアルな（二重の）技術の使い方が当然のように行われるようになりました。このような状況の中で科学者は自分の研究をどのように進めるべきかが問われているのです。

爆弾の「進化」

一八六〇年から一九六〇年までの百年間で爆弾がどれくらい「進化」したかという例を私はよく使います。一八六〇年頃、爆弾の最大の爆発力はＴＮＴ火薬で二〇kg程度、飛翔距離は一〇km、犠牲者数は五人くらいのものでした。第一次世界大戦では最大の爆発力が二トンの爆弾が登場し、飛翔距離一〇〇km、犠牲者五十人のレベルになりました。五十年の間にそれほど威力を増したのです。

ところが、第二次世界大戦になると、原爆は爆発力二〇キロトン（TNT火薬二万トン）、飛翔距離四〇〇〇kmで犠牲者が二十万人と急拡大しました。第一次世界大戦時に比べて桁違いに威力が大きくなったのですが、さらに一九六〇年頃には巨大な爆発力の水爆が開発され、爆発力二〇メガトン（TNT火薬二千万トン）、飛翔力一〇〇〇〇kmで犠牲者は二百万人になりました。原爆より輪をかけて威力が拡大したわけです。

だから、この百年で、爆発力は十億倍、飛翔距離は千倍、犠牲者数は四十万倍になったということです。第二次世界大戦でアメリカが使った爆弾が三千万トンといわれていますから、第二次世界大戦で使った爆弾と同じ破壊力を水爆一発か二発で賄って（まかなって）しまうということになります。このような爆弾の「進化」は、科学者が主体となってこそなしえたものであることは明らかです。戦争の背後には科学者がいるということを、私たちは心にとめておかなければなりません。

戦後日本の科学と産業

富国強兵の明治時代から、科学者は当たり前のように戦争に協力してきたのですが、アジア太平洋戦争に敗北して強く反省することになりました。一九四九年の日本学術会議発足の際、戦争前・戦時中の科学者の態度を深く反省して、科学は文化のため、平和のため、人々の幸福のためのものであると決議しました。翌一九五〇年には、「戦争を目的とする科学の研究には、今後絶対に従わない」と、軍事研究を行わないとの決意表明を打ち出しました。学術の世界が戦争への協力をしないということを明確に打ち出してきたのは日本だけで、実に珍しいことでした。外国では科学者の軍事協力は当たり前なのですから。

実は、学術だけでなく産業界も同様です。例外はありますけれど、日本はもっぱら平和産業を基礎として世界第二位の経済力を築いてきました。学術も産業も、基本的には平和のための活動であるということを前提にやってきたという歴史がありました。それが、だんだんと変わってきているわけです。それでも、企業で言いますと三菱重工は防衛省の仕事を一番多く受注しているのですが、それでも、軍事部門の売り上げは一割以下です。まだまだ日本の産業は平和産業で成り立っていると言えるわけで、だから日本はテロの標的にならないのです。

安倍内閣での「軍学共同」の急速な進展

ところが、安倍内閣は二〇一三年十二月に安全保障に関して、「国家安全保障戦略」、「防衛大綱五ヵ年計画」、「平成二十六年度防衛力整備計画」の三つを閣議決定しました。その中の国家安全保障戦略に「大学や研究機関との連携により、防衛技術にも応用可能な民生技術（デュアルユース技術）の積極的な活用に努める」と、政府の方から大学や研究機関の持つ民生技術を軍事技術に積極的に活用するという方針を示してきたのです。それに応じて、防衛省が二つの戦略を出してきました。

一つは「軍学共同」の本格的推進で、もう一つは軍産複合体の形成と武器輸出の本格的推進です。後者は二〇一四年に「武器輸出三原則」を「防衛装備移転三原則」と言い換えています。武器を「防衛装備」、輸出を「移転」と言い換え、原則禁止から「原則解禁」へと切り替えると一八〇度方向転換したのです。これによって企業は堂々と武器を生産し、外国と武器開発の共同研究ができることになりました。学問の世界と企業の両面に軍事研究への道を大きく開いたわけです。

「軍学共同」というのは、「軍」セクターである防衛省・自衛隊と「学」セクターである大学・研究機関とが、軍事装備品の開発を目的として、共同してアイデアの交換・開発研究等を行うことです。自衛隊は軍ではないという議論もあるのですが、現実の装備実態や安保法制で課せられた仕事を考えれば実質的には軍であると言ってよいでしょう。現在行われている軍学共同事業は、防衛装備庁と大学・研究機関等との「技術交流」と防衛装備庁が創設した「安全保障技術研究推進制度」による委託研究の二つです。

ここで問題とするのは「安全保障技術研究推進制度」で、将来の軍事装備品の開発のための芽出し研究・基礎研究を行い、有望な研究については防衛省が引き取って開発し活用するというものです。だから、装備品の初歩的な設計部分やアイデアの部分を募集するというわけです。研究者は、基礎研究というと軍事研究ではないとつい思ってしまうのですが、そうではありません。確かに、それが直ちに軍事装備品に転換することにはならないのですが、有望な研究課題は防衛省が引き取って活用するというのですから、有望だと目をつけたものは防衛省が具体的に軍事装備品として開発・発展させることになります。そもそも、この制度の目的は軍事装備品の開発が目的なのですから、軍事研究でないということはないのです。

官庁用語では私たちの常識とは違い、真に自由で研究者の創意に任せるのは「学術研究」と呼び、それと区別して「戦略的・要請的な研究」について「基礎研究」という言葉を使っています。つまり、「学術研究」というのは研究者の創意と自由に任せて新しいものを作りだすような研究であり、「基礎研究」はイノベーションのための戦略的な研究、あるいはイノベーションに要請されて行う研究を言っているのです。

二〇一五年度から、防衛装備庁が創設した軍事研究のための競争的資金制度が発足して公募され、大学等の研究者が多数応募しました。そこで採択された課題が防衛省から資金提供を受けて委託研究を行っています。

予算ですが、二〇一五年度は三億円、二〇一六年度は六億円、そして二〇一七年度はなんと一一〇億円へと大幅に引き上げられました。募集の従来型はタイプA（一年で三九〇〇万円上限）、タイプB（一三〇〇万円上限）ですが、二〇一七年度から新たにタイプS（原則五ヵ年継続可能、最大二〇億円、八件程度、予算一一〇億円のうち一〇〇億円を使用予定）というのが始まり、この予算規模になっています。技術開発においては、アイデア段階からモデルによって実際に機能させるまでにはギャップ（大きな溝）があり、これを「死の谷」と呼んでいます。アイデアでは巧くいっても実物を作っても動かない、そんなことが多くあるのです。その「死の谷」を飛び越えるのは容易なことではなく、軍事研究においてそれを飛び越えるために大口予算を保証したのがSタイプなのです。

二〇一五年度の応募数が一〇九件だったのが、二〇一六年度は四十四件と激減しました。その理由は、私たちの運動の成果と思いたいのですが、実は戦争法反対の運動が全国的に盛り上がり、研究者の多くが後ろめたさを感じたことにあると思います。さらに、私たちの仲間が行った抗議運動をマスコミの地方版や地方紙が報道してくれたこともあるでしょう。特に私立大学では受験生の数に影響するので、市民が厳しく見ていることがわかると応募を躊躇するということになるのです。市民は誰でも、平和のための研究を行っている大学を望ましく思い、戦争のための研究をしている大学に子どもをやりたくないのは当然です。それを察知した大学からの応募が減ったのだと思います。

二〇一七年の採択結果と累計をみると、応募では大学は二十二件でしたが、企業が圧倒的に多く一〇四件中五十五件を占めています。三年間で採択された企業を見るとパナソニックや富士通、日立や三菱重工といった大企業、公的研究機関では理研、JAXA（宇宙航空研究開発機構）、物質材料研究機構などです。二〇一七年度には大学からの採択がゼロであったところをみると、防衛省は産業界に重点を置こうとする方針なのではないかと推測しています。

軍産学複合体への出発点？

企業からの応募数が急増した理由として、企業は初期投資の足しとして防衛装備庁からの資金を利用し、武器生産・武器輸出を企業目的にしつつあると思われます。表の顔ではコマーシャルで人々の生活を豊かにすると言い、裏の顔では「死の商人」になりつつあるのです。

そしてもう一つ、「産」を軸とした「軍」と「学」との結びつきを強めようとしていると思われます。まず産業界に軍からの資金が流れて「軍産連携」を成立させます。さらに産業界は大学と「産学連携」を通じて共同研究を強化します。産学共同において資金は「産」から「学」に流れることになりますから、結局「産」を軸にして「軍」と「学」が繋る軍産学複合体が形成されることになるわけです。

アメリカのアイゼンハワー大統領が一九六一年の退任前に、アメリカの政治は軍産複合体によって左右されていると警告しました。今や、軍需産業が核になって政治家や学の世界を動かすという軍産学複合システムがアメリカには頑としてあるのですが、日本もそのような状況になりかねないのです。とはいえ、日本はまだそこまでいっていません。日本学術会議が「軍事的安全保障研究に関する声明」を出したことで大学が軍事研究に携わることを躊躇しており、産業界も今まで平和産業で培ってきた信頼を失いたくないという願望もあるからで、今はまだ本格的な軍産学複合体が形成されているわけではありません。まだ、この道を行くのを阻止する可能性があるのです。

日本学術会議の声明と科学者の反応

日本学術会議が五十年ぶりに「軍事的安全保障研究に関する声明」を出しました。ここで強調されていることは、研究資金について、どんなところからお金が出ているのか、何のための研究しているのかを明らかにすること、そして科学研究は公開するということが決定的に重要になるということです。「資金源」が軍セクターである、「研究目的」が軍装備である、「成果の公開」が阻害される、そのような状況を迎えそうになったら断固拒否しなければならないと述べています。つまり科学研究において、資金の出所、研究目的、公開性の三点が妥当であるかを、大学や学会において、技術的・倫理的に審査をする制度を設けるべきだと提起しているのです。

いま、政府による大学支配がますます強まっていく状況にあります。ですから、「軍学共同」も今が分かれ道だと思っています。大学からの応募は頭打ちになっていますが、議論が多いのはデュアルユースに関して私たち科学者がいかに対応するかの問題です。また軍事研究に偏っていくと、軍からの資金に依存しないと研究ができなくなっていきますし、研究全体に対する軍の発言力が大きくなり、学術全体の方向性に悪影響を及ぼすことが心配されます。

軍学共同に対する大学の状況を見渡しますと、各大学でいろいろと議論されており、三十くらいの大学が防衛省の委託研究制度に応募しない、または評議会で確認・議論するなど、慎重に対応することを宣言や声明として出しています。

科学者の許容論の議論は三つくらいあります。一つはデュアルユース論です。研究現場では、民生用か軍事用かの区別はつかないから、軍事用に使えるからといって禁止できないという意見です。例えばナイフは、リンゴの皮をむくと同時に人を殺すこともできるわけです。このナイフを作る段階では、どちらに使われるかはわからないのですから、人を殺せるからナイフを作っていけないとは言えません。いかなる技術も、軍事研究に使われる恐れがあるからといって禁止することはできないのです。問題は、それを作ろうとした人間は製造者責任をどうとるか、自分の研究を軍事目的に使って欲しくないと考えているか、その注文主（スポンサー）は誰か、なのです。また、私たちは企業社会に生きていますから、企業が成果を受けとって利用していくことは十分あることで、その流れは私たちの手ではなかなか止められません。けれど、そのような使い方はいけないのではないか、と常に批判し続ける必要があります。

二つ目は研究費の問題です。研究予算が欲しいというのは、科学者の強い欲求として当然です。これに対し、「選択と集中」によって多くの分野の研究者は研究費不足に悩んでいる状態があります。研究者は研究成果によって存在意義が証明できるわけですが、研究費がないと研究ができません。研究ができない状況に追い詰められるくらいだったら軍からの金でもいい、という気持ちを研究者は持ちつつあります。経済的な圧力によって軍に利用されるのです。私はこれを研究者版「経済的徴兵制」と呼んでいます。

三つ目は防衛（自衛）のためなら軍事研究でもかまわない、という議論です。これはまさしく自衛隊の存否の論議と同じで、なぜ自衛隊が必要かということと共通しています。日本を守るための研究だったらよいではないかという議論です。その結果として、北朝鮮に対して力の論理で競り合い軍事的圧力をかけるのが重要、という考え方が出てくるわけです。果たしてそれでいいのか、と一歩退いて考えてみるべきです、そしてすべての戦争は防衛のためという名目で始まっていることを押さえておかなければなりません。いったん戦争がはじまったら殺し合いが始まるのです。殺し合いをしていいのか、ということを常に問いかけていかなければならないと思うのです。この問題は政治的な広がりで、いろいろなところで議論されています。

以上の三つの議論について、ただちにこうすべきという名案はありません。ただ、科学者・技術者として人殺しをする戦争には加担しないという態度は堅持して欲しい、そのためにはどうすればよいかという観点で軍事研究について考えて欲しいと願っています。デュアルユースの問題でも、自分の結果を戦争のためには利用しないで欲しいと言い続けるより外ありません。それが科学者・技術者の社会的責任ではないでしょうか。科学者・技術者以前に、一人の市民として、きちんと守るべき線を意識しながら議論して欲しいのです。

学術に対する影響

軍事研究が学術にもたらす影響ですが、大学に軍事研究が入ってくると治外法権の場所ができます。学長といえども入れない研究場所ができるのです。アメリカでも大学の軍事研究が非常に広がった時期があって、大問題となりました。それで、もっぱら軍事研究をする場所を特定の研究所に集め、そこでは軍事研究を大っぴらに行うが、あとの場では軍事研究をシャットアウトする場としているのです。例えばマサチューセッツ工科大学ではリンカーン研究所という研究所を作り、軍事研究はもっぱらここで行っていて、他のところでは軍事研究は行わないといった棲み分けをするようにしています。アメリカであっても、軍事研究を大学でおおっぴらにやるということはできない雰囲気が広がっているためです。

軍学共同が学術に何をもたらすかというと、大学の自治が侵され、学問の自由が脅かされ、研究現場が委縮し、人々のための真理の探究でなくなり、研究者は精神的に堕落します。このような研究者に教えられた学生はどのように育つか、大学にとって決定的なのは教育的悪影響です。学生が軍事研究を当たり前だと思ってしまうという状況に追い込まれるのです。そして科学に対する人々の信頼が失われるのです。

軍学共同が子育てにもたらすもの

現代はＳＮＳなど手っ取り早い通信の時代なので、物事が加速的に拡大して進んでしまう傾向があります。私自身が一番心配するのは、軍事を優先する思想に、教師や父兄が知らず知らずの間に染まってしまって、それを否定する教師を排除する状況になることが考えられるということです。特定秘密保護法や共謀罪がある中であっても、私たちが自由にモノを言えることが大切で、自由にモノが言えない社会にしてはいけないのです。子育てをする上で、考えたことを自由に口に出して意見交換し、その中で良い方向を探していく対話・議論の重要性を体得していく、ということが非常に大切だと思います。自由な議論の中でこそ子どもが健全に育つ、それを常に意識した子育てであるよう努めねばなりません。

市民は軍学共同を望んでいないということ、大学に対しても厳しい目で見ているということは、大学にも認識されています。研究者が軍学共同に応募したいと言っても、受験生が減るという理由で、大学の執行部が応募を禁止している実例もあります。自分の子どもや孫を軍事研究をしている大学には行かせない、という市民意識は非常に大切です。次世代の人間を育てる場が健全でなければ、健全な日本にならないと思いますし、そのことを主張し続ける市民であり続けて欲しいのです。

学問の原点は憲法の精神にあります。憲法二十三条に「学問の自由は、これを保障する」という最も短い五七五調の条文があります。この「学問の自由」という言葉に込められた意思、根本的な思想についてゆっくり考える必要があります。

私が一番好きな言葉に、ガンジーの「人格なき学問、人間性が欠けた学術にどんな意味があろうか」というのがあります。人間を大事にしない学問は、いかに優れた業績であったとしても、それは本当に意味があるのだろうかということなのです。

（親子読書地域文庫第21回全国交流集会　17年10月）

全科目への架け橋としての国語——国語教育の重要性

言葉の中に控えている深い意味

私たちは、知らず知らずのうちに「地震予知」と言いますね。しかしなぜ「地震予知」というのでしょうか。言葉を巡って何気なく世間的に使われていることが色々あるわけですが、その言葉を一つひとつ吟味して、子ども達と「これどういう意味だろうね」というふうに語り合うことがやっぱり必要なのではないかと思います。言葉は、その使いようによっては、巧妙に真実を隠すために使うということが多くあるからです。「同じ言葉を使っても、本当はこういう意味でしょうね」と、そこに控えている深い意味を伝えることも必要ではないでしょうか。

影響を受けた先生

私が先生に大きな影響を受けたのは、中学校です。国語の先生が担任の先生ということもあり、非常に身近で良い話をする先生で、その先生で一番良かったのは、いばらないということでした。その先生は、戦時中に大学生だったので、「自分は大学生の時にはあまり勉強してへんのや。大してよく知らんことが多い。だから君らから学ぶことが多い」という風に謙遜しておっしゃったのですね。それが非常に印象的で、一緒に物事を先生と学んでいく気分というか、そういう雰囲気がずっとありました。私たちのレベルに降りながら、一緒に上っていこうという姿勢が私にとって印象深く、この先生とだったら一緒にやれるという気持ちが持てたのです。私にとっての一番の気持ちの支えでした。以下省略しますが、他にも文学全集の読破を進めてくださった図書館の先生や、通信教育で教員免除を取られた農業の先生など、今でも印象深く覚えている先生がおられました。

引き算の人生

自分はこういうことを一番やりたいと思っているけれども、いろいろな条件でそれをあきらめ、一番を差し引いて二番のことをやってきたということを「引き算の人生」と呼んでいます。例えば、文系・理系という区別は今でもあまり好きじゃないのですが、高校に入るころまでは、文系にしようか理系にしようか悩んでいました。私には四歳上の兄貴がいて、駆けっこをしても相撲を取っても勉強をしても兄には負けました。小さい頃の四歳の差は大きく、簡単には勝てません。しかし、その兄が、大学受験の頃には数学と理科が不得手だったのですね。そこで、数学や理科をがんばれば、私は兄貴に勝てるというわけで、数学や理科を一所懸命やったのです。中学三年生の頃で、数学や理科が好きでやりたかったわけでなく、ただ兄貴に勝ちたい一心で取り組んだ結果として理系の人生を歩んだというわけで、最初の「引き算」ですね。

その後、私は京大に入ったのですが、日本で唯一のノーベル賞受賞者ということで湯川秀樹に憧れました。だから、素粒子物理学をやりたかったのですが、やはり同じ憧れを持って素粒子物理学をやりたいという優れた連中が全国からやってきているわけです。これじゃあ競争しても負けるというわけで、当時はまだあまり脚光を浴びていなかった宇宙物理学・天体物理学・宇宙科学という分野を私は選びました。これも「引き算」です。

ですから、学生達には、「方向転換しても構わない、新たな道が自分に用意された道だと思ってしっかり頑張れば、何か見付かるよ」と言っています。長い人生ですからね、何がプラスになるか、何が結果的に流れに乗るか、逆に言うと何がマイナスになるか、何が不利になるかわからない。そんなことを気にせず、結果的に選んだ分野で一生懸命やっておれば、何か方向が見付かるということです。むしろ、幅広い視点というのか、あまり早めに専門化してしまわないで、可能性を多く残す方がいいのかもしれません。勉強するということは、まさにそういう様々な可能性があるということを発見するということ、知るということではないでしょうか。そういうことが大事なのではないかと思います。

全科目への架け橋としての国語

国語というのは、まさに言葉を通じて世界を思い返すということだと思います。「言葉を通じて」ということは、むろんあらゆる科目に共通します。全科目が言葉を通じての学習・学問なのですから。そのなかで、国語がいろんな科目を言葉によってつなぐ役割をしていると言えるでしょう。

言葉は人間の証し

私たち現代の人間と同じ種のホモサピエンスが地上に現れたのは、約二十万年前です。この二十万年前から現代までに、人類は言葉を多様にし、豊かな表現を可能にしてきました。日本はこんなに小さい国なのに、こんなに多様な方言があるということは非常におもしろいですね。おそらく、それは江戸時代の地方分権が徹底させたのではないでしょうか。そういう政治とからんだ言語の歴史もあったと思われます。現代のようにＳＮＳとかＬＩＮＥとかで非常に断片的な言葉が使われている時代というのは、旧来の言葉が破壊されていく時代ではないのかと心配しています。ほんの断片的な言葉のやりとりだけで、哲学は語れるのか、文学を多様に彩れるのか、ということがすごく気に掛かるからです。日本という国には、言葉の豊かさがあり、色んな表現の仕方があります。それを子供達は小さい頃から学んでいくわけですね。これだけ多様な言葉を何ともなしに区別しながら、漢字、カタカナ、ひらがな混じり、時にはアルファベットも入った文章を作っていくことができるわけです。これはすごい能力で素晴らしいことであって、それを失わせないということが必要ではないかと思います。果たして、今後ＳＮＳによって新たな能力が開発され、新たな言葉の世界を広げ、言葉の世界の豊かさみたいなものも見出していく、そんなことがあるのでしょうか？

言葉の「はたらき」の広がり

人間の成長というのは、言葉の世界の拡大であるというふうに言えるのではないでしょうか。人間は二十万年という時間をかけて言葉を豊かにしてきました。現代の私たちは、幼い頃、高校あるいは大学など、育っていく時期に応じて人としての成長段階を辿りながら、時間をかけて進化するという道を歩んでいます。言い換えると、ホモサピエンス二十万年の言葉の拡大の歴史を、私たちは十年なり十五年なりの学習で追体験して言葉を豊かにしていると言えそうです。そういう風な見方ができるのではないかと思っています。

例えば、小学校に入って一年生から成長するに従い、会話の意味の深さなどを学んでいくのですが、同時に物の名前を覚え、その性質を覚える作業も並行しています。それから、少しずつ抽象性がある数量、空間、時間の表現を知っていきます。やがて中学になると、今度は悲しみとか喜びとか、そうした抽象概念が心の中で生まれます。あるいは、抽象的な感覚や倫理、愛とか神とか正義とか平等とか平和とか利己とかの概念です。さらには、利他的というようなより高度な倫理感の基本を成すような感情表現を経験するようになります。高校の段階になってくると、言葉を結び合わせることによる思想や哲学、そして諸学の理解という段階に進みます。様々な状況の中で色々な言葉を使いながら、その言葉で表せるものを具体的に、全然違うものであろう言葉と結び合わせて、共通のある種のまとまった考え方や主張を具体的に表現し把握していきます。こういうふうに、年齢とともに二十万年の人類の言葉の歴史を追体験していくのです。

高校生と「言葉」

高校時代は言葉を使って哲学とか宗教とか歴史とか社会など、あらゆる学問の基本的概念を獲得する世代・段階であると言えるでしょうか。従って、より広い世界を認識できるような科目構成になっています。もう一つ大事なことは、言葉を使うことによって色々な学問の関連を知る時代でもあるということです。要するに各学問が独立して別個にあるのではなく、それらを結び合わせることによって互いに関連しあっていることがわかってくるということです。それがわかってくるからこそ、それぞれの大事さみたいなものも理解できるようになるのです。それを通じて、今度は自分で感情とか論理、あるいは概念といったものを表現する術を獲得する、そういう段階であるのです。

ここで、国語が全科目の架け橋となるということ、つまり言葉を主体にした科目としての国語が、読み、書き、理解し、学習し、表現し、主張し、納得し、という全科目に共通する技量の基礎になるのは必然です。それぞれの言葉を通じて、その中身を表現したり、主張したりするのですから。それを自己と他者の関係、つまり他の人との間でやりとりすることによって深めていくということこそが、生きる力ではないかというふうに思っています。

十八歳選挙権が得られることになりました。つまり、日本では十八歳で社会的に一人前として位置づけられ、社会に送り出されるわけです。そういうときに、スキルとしての言葉の使い方と共に、言葉の持っている意味付けや、色々なものをつないでいく機能があるのだということをきちんと体得していくことが重要です。そのために、高校時代は社会人として基本的に求められる言語技量をマスターする段階と言えるでしょう。その場合、スキルとしての技量の獲得のみならず人間としての相互理解のための、言葉のより深い把握が不可欠です。

子供達が基本的に学んでいる部分は本当に基礎の部分なのですが、それは実は営々たる人間の活動の中で見出されてきた文化遺産なのです。そういうものを、私は「基層力」と呼びたいですね。市民が持つ文化に対する基層の力の源泉でもあり、基盤的に持っている力のことです。その基礎的な力をいかに充実させていくかということです。それが受け継がれ、次の世代、そしてさらに次の世代へと受け継がれ、豊かになっていくのですから。

教育の意味

これはゲーテの「ファウスト」にある言葉ですが、「気を付けろ、悪魔は年を取っている。だから悪魔を凌駕(りょうが)するためには、おまえも年を取っていなければならない」というメフィストフェレスの台詞があります。

悪魔というのは、人類が直面する様々な迷信とか、権威、社会的憶説、習慣、偏見、世にはびこる様々な悪などの、人類史的な難問のことです。人類史的な難問というのは、簡単に一筋縄では解決できません。悪魔は様々な策を弄しており簡単に姿を表さず、容易に解決させない。まさに年を取っていて老獪なのです。それを私たちは凌駕していくことが求められています。そのための教育であり、学問なのです。凌駕するためには私達自身も年を取っていなければなりません。年を取るというのは、それらから自由であるということ、どのような事柄もいったん疑ってかかるということです。さらに、知性とか論理性とか合理性という知の作業を通じて、自分としてはどう考えるかの思考法を確立する必要があります。それが教育と言えるのではないでしょうか。

このように難問があり、それは簡単に解決しないのだけれども、私たち自身がそれらから自由で、とらわれていない、ということが大事ですね。生徒たちが自由であるためには、先生、教師がまず最も自由であるということが必要であることは言うまでもありません。

私のささやかな試み

特に高校の教育の場では、文系と理系という風に分けて、ここは文系だから科学は関係ないということではなくて、国語の科目としても科学をいかに取り入れるか、ということがやはり必要なのではないでしょうか。明治時代、長岡半太郎のような有名な科学者が国語の教科書に文章を書いています。これは素晴らしいことです。いわゆる教訓的な話ではなくて、淡々と自分達が科学という営みの中で何をやっているかを書いています。このような科学の営みそのものを客観的に理解するということも教育の重要な役割なのです。それを直接教える機会は、現在ないわけです。科学が人間の社会の中にどう生きているか、あるいは科学が社会の認識にどのような邪魔をしているか、そういうことも含めて考えようとすると、それは国語という科目しかありません。国語というのは、人間の生き方そのものの全体を把握しながら、また結びつけながら、学び理解していく科目ですからね。

ハンガリーで教育革命が起こった後に、アメリカに亡命した多くの科学者（フォン・ノイマン、ウィグナー、シラード、テラー、カルマンなどで、「火星から来た学者」と言われた）が受けた教育を語っています。新聞を広げて数値の使い方を学ぶ、グラフの書き方の善し悪しを皆で話し合う、街の英語の看板や墓石に刻まれた文字を読んで英語教育に使う、要するに実地教育です。実地に具体的にものを見ながら、数値や英語が世の中でどう使われているかということを体験しながら、その批判を行いつつ学んだのです。そんな教育が功を奏したためか、彼らは数多くの優れた科学的業績を残しています。さしずめ現在では、科学技術の使われ方への疑問を呈することでしょうか。技術が道徳の代用に使われること、道具をどんどん使うことによって人間はどんどん能力を失っていくこと、その自覚を促す教育です。

クリフエッジという言葉があります。「崖っぷち」という意味で、主として原発の技術で使われていますが、例えば耐震の基準限界のこともクリフエッジと言います。その限界を一歩でも超えたら、崖から転げ落ちるような大事故になりますよ、という意味です。しかし、クリフエッジをちゃんと述べた工学者はいないですね。そういう概念のもとで技術が使われているということを、どこかで子ども達が学ぶ必要があります。ある種の技術は、その使い方を一歩間違えば大惨事が生じてしまうということをしっかり押さえておかねばならないからです。それを学ぶのはどこかというと、今は高校しかないのではないでしょうか。

また、常識を疑うことの重要性があります。相関関係と因果関係の違いを意識する、あるいは確率の意味をしっかりと考えることも必要です。実際、世の中の色々なところに確率はあふれています。地震の確率と降水確率は同じ確率という言葉を使っていても、全然意味が違います。地震は、人間の一生のうちに何回も起こりません。例えば、東京大地震で直下型地震が三十年以内に起こる可能性は70%という非常に高い確率になっています。ところが、誰もその数値を信用していないというような問題もあります。「こういう確率の話があるけど、みんなどう思う?」と問いかけ、確率というものの意味をちょっとでも考えるという機会が必要です。私たちが日常で使っている言葉をもう一度見直してみようということですね。テレビや新聞のウソ、科学の様々な文章などです。ところが、高校の科目の中で、それらをどこで取り上げ、どんな話題で議論するのか、なかなか見付かりません。そうなると、やっぱり国語という身近な科目の中で、これらを扱うのが一番いいのではないかということになると思います。

国語教育への提案

「新しい博物学」の視点を述べたいと思います。科学史と人間史を結び合わせると言っているのですが、要するに文学とか芸術とか芸能史とか人間が培ってきた歴史には、科学的な要素がものすごくあるのですね。それを発見して、「えっ、こんなことを昔の人も知っていたのか」というふうに理解し、互いに話し合ってみようという試みです。これを人間知とか人間史と言っています。歌舞伎とか川柳とか小説とか様々なもので、実は人間知と科学知が結び合わさったような知恵がたくさんあるのです。古典文学をやるときにも、そういうのを見つけて子ども達に話すと、「えっ、昔の人がそんなことまで知っていたの」となります。実際、昔の人も科学性を身に付けないと、生き残れなかったのですから。

百科事典を活用するのも面白いのではないかと思います。幅広い観点を見出すのに役に立ちます。私が関係した宇宙の百科事典であっても、ただ宇宙だけのことに閉じていないですね。人間の生活と宇宙との関連が、神話の世界まで書かれています。事実、百科事典はずいぶん進化していて、実に幅広い知識の上に、まさに百科の上で書かれています。生徒から質問があったときに百科事典を一緒に開いて調べてみるというのは必要な作業ではないかと思います。

もう一つは他の教科の教科書を参照することです。これは、まさに他の科目との架け橋として、今この科目ではどういうことが話題になっているかということを知るためです。あまり深く入る必要はありません、他の教科書で話題になっている問題を取りあげ、一緒に子供たちと考えてみる、そういう時間もあってしかるべきだと思います。

教育者として求めたいこと

一つはやはり、疑う技術の涵養(かんよう)です。現在の教育は、正しい答えしか教えていません。むしろん正しい答えを知る必要はあるけれども、間違った答えもあるということ、また正しい答えが百パーセント正しいのかどうか、それを疑う訓練をする必要があります。知らないこととか間違ったことを口に出して言うのは恥ずかしいことではない、疑いを何も持たないとか、疑っても何も言わないとか、そういう方が実は恥ずかしいことなのだ、ということを生徒たちとの付き合いの中で培っていって欲しいですね。

それから、生徒からの質問に対する態度も大事です。質問があれば喜んで丁寧に対応する、教師が友達になる、教師が高圧的にならない、知らなかったら一緒に調べましょうと言う、そんなことです。知らないことが悪いことだというふうに受け取られないような態度です。高圧的な対応はやはりまずい。それは疑いを持つということを抑圧してしまうからです。疑いをもつということを歓迎するということ、真実を求めている心を率直に歓迎するということです。

あと六十年とか七十年の間に世の中がどう変化していくかはわかりません。AIがどれくらい社会に広がって、どれくらい職業を奪っていくのか、それもわかりません。子供達がそういう問題に遭遇したときにどう対応するかということを一緒に考えてやる必要があります。よくわからない時代を迎えるのですから、本当に粘り腰のある人間を育てていかなければなりません。それがまさに生きる力です。先生としては本当に大変でしょうが、そういうことを意識しながら教育を行って欲しいと願っています。

教科書に採用された文章について

私は教科書のために書いたのではありません。雑誌に書いたり、新聞に書いたり、随筆で書いたりして、そういうものから教科書を編集した人が、教科書全体の中の一つの分野として私の文章を採用したということです。だから、本来はその教科書の編集者がどう考えて、全体の中でどういう位置づけをしたかということも読み取って欲しいですね。私が書いた文章を、他の文章と対比してどうであったか、ということにあまりとらわれないで読んでいただきたい。

私自身の考えも、これを書いた当時と現代とでは違うこともあるでしょう。また、現代の社会状況の中でさらに異なった所見があるかもしれません。だから、こういう点が今このように問題になっているけれども、この文章にはこの点が足りないねとか、もっと強調してほしいねとか、注文を出しながら批判的に読んでほしいと思います。

「新しい博物学」

私が主張している『新しい博物学』は、高等学校で採用されていましたが（第一学習社「現代文」教科書）、別に中学・高校と書き分けているわけではありませんから、あんまり学年にこだわらないで読んでいただきたい。『新しい博物学』の場合は、現実にシェイクスピアの本を読み、子ども達と「ああ、こういう情景だったのだね」ということまでたどってほしいものです。シーザーの暗殺の場面、これは実に面白い場面です。シーザーが天下をとったときに北極星を見上げて、「俺は北極星のように不動だ」という言葉を発しますが、これはすごい台詞です。あの当時の劇場の構造と関係するわけです。天井がなく、夜空そのものが見えたのです。それで指を指して北極星のように不動だというわけですから、みんな夜空を見上げ、おお本当に動かないねと思ったはずです。王様というのは動かず、家来は動きます。つまり、北極星のように不動だとの言は、俺は世界の中心になったぞ、との宣言なのです。そして、そのすぐ後に暗殺されるのですから、実に劇的な舞台の転換ですね。というように演劇の面白さも汲んでほしいし、北極星は本当に動かないの？と疑っても欲しい。実は、北極星は動いていたのですよ。当時は、一〇度くらいの円を描いて回っていました。それは地球の回転軸が首振り運動をしているため、というような天文学の話もついてまわります。

天動説・地動説という言葉は日本人が創った言葉、つまり漢語ではなく日本語です。天動説は天が動く、地動説は地が動く、ですね。西洋の言い方では、前者が地球中心説、後者が太陽中心説です。これは中心がどこにあるかを言い、日本人はどちらが動くかで言っています。一神教の西洋と八百万（やおよろず）の神の東洋のものの見方の違いあることがわかると思います。というふうに、言葉を通じて話が色々とつながっていきます。そういうつながりがあるということが、まさに「新しい博物学」なのです。「新しい」という言葉を付けたのは、現在の文化の問題もあるし、科学、宇宙、星の世界の話もあるし、歴史の話もあるし、新しく色々と雑学がつながっていくという意味です。そういう発想で一つ試していただければと思います。色んなことで少しずつ研究しながら、材料をためて、「新しい博物学」というのをやると楽しいのではないでしょうか。

「技術が道徳を代行するとき」

高校教科書（東京書籍「国語総合」）に掲載された『技術が道徳を代行するとき』については、時代とともに変わっていくことがあるとともに、時代が変わっても意味が変わらないこともあるという事実の認識です。例えば、ＬＧＢＴに対する観念は時代とともに変わってきました。他方で、「人を愛しなさい」とか「ウソをついてはいけない」、これらは時代とともに変わりません。時代とともに変わる倫理と変わらない倫理があるのです。

授業で結論を出さねばならないわけではありません。それはどちらが上だろうと子供たちに考えさせる……当然、答えは見えず、すぐには答えられない……だからといって触らないのではなくて、一緒に考えてみようということしか言えない……授業としてはやりにくいかもしれないけれども、とりあえず現代はこうだよね、というくらいで当面の結論はよしとしよう、ということでいいのではないかと思います。

採用すべき技術と採用すべきでない技術を見極める

高校生の授業をするとき、「私はスマホをやらない」と言います。自分が時代から取り残されていくことをむしろ誇り、本当にしたいことに時間を費すことの重要性を言いたいからです。つまり、そのように堂々と主張することによって、自分の時間が他の事柄によって削られないということが、人間にとって大事なんだよと強調したいのです。

私たちが採用すべき技術と採用すべきでない技術を見極めることです。基本的に安全が証明されていない間は、どんなに便利なものであっても手を出すべきではないのは当然です。それが現在を生きる一番の智恵ですよ、というふうに言っています。原発の放射性廃棄物の処理が後回しになっていますね、そういうことでいいのかと問いかける、これは国語の問題ではありません。しかし、人間が生きていく上で考えるべき問題で、国語とか道徳とか社会の科目と身近な関係にあると思います。人間だけでなく全ての生物が生き延びられる（サステイナブルな）社会にしていく上で、「この技術は採用できるのかできないのか」という観点が、現代人あるいはこれから大人になっていく子ども達にとって、非常に重要な判断基準となるべきでしょう。その重要な指針が「予防措置原則」と呼ばれている考え方で、危険性が予想される場合、安全性が証明できるまでは予防のために手を出さないという原則で、それはまさに技術と道徳がどう結び合うかということになります。

国語の授業というのは、言葉を媒介にして日常と非常に関係しており、今述べたことも含めた人間の生き方にまで広げて議論するということが必要ではないかと思います。教科書を見ながら、そこに提示されているヒントのようなものをうまく使いこなして、異なった問題へと広げていってもらえれば、採用されている私の文章も活きると思います。

（釧路管内高等学校教育研究会国語科部会 16年11月）

科学の「いま」を考える——大学の教養課程に期待すること

みなさん、こんばんは。私が大学を卒業してから、もう五十年近く経ちました。私の世代の大学時代と現代の君たちの大学時代とが大いに異なっていることは確かですね。したがって、「私の若い頃は」ということは、一切言わないようにします。「その時代は去ったのである。今さら昔に帰ることはできないのだから」と言われますし、私もそう思っております。

しかしながら、大学とはどういうところなのか、あるいは科学とは何なのか、大学とは仕事のための技量を身につけていく場でもありますが、そこで、自分たち自身が何のために勉強しているのかを問いかけることはあると思うし、また問いかけなければいけません。つまり、自分の立ち位置を、いつも確認しながら生きていかなければ、呆然と時を過ごしていくことになると思います。呆然と過ごすと頭には何も残りません。自分の頭の中で何か残っていくものを作っていくことは、自分の立ち位置を常に確認していくということではないかと思います。

「人間教育講座」という、勇ましいと言えば勇ましい表題がついているものですから、ちょっと肩肘張って用意してきたのですが、あまり固くなってもいかがなものかと思うので、途中脱線しながら話していきたいと思います。今日お話するのは、「教養とは何か?」「大学とは何か?」、そして君たちは特に科学を学んでいくわけですから「なぜ科学を学ぶのか?」——そのあたりについて私自身が考えたことや悩んできたことについて、私なりの意見をいろいろと述べてみたいと思います。「人間教育講座」ですから、別に知識として覚えるわけではなく、頭の隅のどこかに残しておいていただいて、何かの時に「ああ、池内先生があんなことを言っていたなあ」と思い出してくれればいいのです。

教養とは何か？

まずは「教養とは何か？」ということです。これは非常に難しい問題です。答えはなんとでもなるわけですから。

私の学生時代には「教養部」というものが大学の制度として歴としてありました。ここ慶應大学理工学部には例外的に教養課程がありますが、実は国立大学は一九九一年に教養部を廃止することが可能になって、ほとんどの大学で教養部をなくしてしまったのですね。三十年以上前のことです。なくしてしまったのですが、今では大学の人間たちはもちろん、大学だけでなく教養部をなくせと圧力をかけていた財界の人間たちも、「これはまずいことになったな」と言い出しました。もう十年以上前のことです。教養部を廃止して、早く専門化して、専門的職業人として手っ取り早く使えるようにしたい。そういう大学づくりをしたいと、当時の文部省も財界も考えたのでしょう。しかしそれはあまり効果的ではなかった、むしろマイナス要素が多くあったわけです。

現代は時間が加速されています。何事も速く処理できればいい、即効性が期待されるわけですね。「速く役に立つ」ということは、逆を言えば、時間がかかれば役に立たなくなるということです。速く速くということによって、あまり考えなくなり、どんどん物事は薄っぺらになっています。だからこそ一旦立ち止まって、ゆっくりと自分が何を求めているのか、教養とは何かということを考え直してみる。それをじっくり考えて、自分のものにする。そういう時間として大学の教養部の時間を過ごしてほしいと思います。

教養ある人とはどんな人か、に関して思いついた言葉を書き出してみました。上段に書いたことを、下段で言い換えてみたのですが、よくマッチしているものも、マッチしていないものもあります。

学歴の高い人……………………なんでもよく知っている人
読み書きが堪能な人……………知的頼りがいがある人
多くの知識を持つ人……………知恵がある人
風貌がよく品格がある人………何事にも落ち着いて対処できる人
高い品位がある人………………品行方正に振る舞える人
人格が卑しくない人（人格高潔）………欲得に無縁な人
肉体労働者でない人……………知的労働の人

これは単に私が思いついたままなので、「ああ、そういうものか」と思って見てください。これらすべてが身につくかどうかは別として、何となく想像できると思います。例えば「品格がある」＝「教養がある」と言っていいかどうかは別として、人間として品位といったものが身につくためには、やはり教養という裏打ちが必要であると思えますね。そのためには何が必要かということです。

そもそも「教養」の始まりとは何かということを考えてみましょう。教養、あるいは「リベラルアーツ」という言葉は、十二世紀の西欧で登場しました。ボローニャ大学やパリ大学、オックスフォード大学、ケンブリッジ大学などが十二〜十三世紀に相次いで設立されましたが、その時に大学の教養教育というものも始まったわけです。

この時に何が起こったのかというと、都市が成立して職業選択の自由が生じ、大学が生まれたわけです。ただし職業選択の自由と言っても、すべての人についてではありません。エリート層だけです。限られた人たちでしたが、そうなることで「自我と自律と自由」を持った人間が誕生しました。つまり個人としての自我＝自分ということをはっきりと意識する。そして自分の行いや考え方を自分で決める自律心。さらに何かの圧力によって判断するのではなく、自らの自由意志で実践する。それがまさに個人です。君たち自身も自分が個人として生きるためには、自我と自律と自由の三つを絶えずわきまえておくべきではないかと思います。

そういう個人が成立・誕生して、次に社会の中でどのように生きていくかという個人と社会の関係を考えなければならなくなります。我々がいかに生きるべきかということを考えるうえで、一番の基盤として私たちが身につけなくてはならない見方や考え方が教養であるのではないか。これは私の独断ではなく、阿部謹也さんの本にそう書かれています。

「リベラル」という言葉は、本来は「自由人」という意味です。リバタリアンというように、多少悪口気味の言い方もありますが、リベラルの教養を身につけなくてはいけないわけです。教養というものは、要するに、独立した自由な人格を獲得することが最大の目的であり、いろいろな知識や推論を用いて、自分で判断をする力を持っていくことなのですね。皆さんは当たり前だと思っているかもしれませんが、実は社会の中のいろいろな人間との関係で、あるいは組織との関係で、「本当に自分で判断しているかどうか」ということを常に問いかけなければならないのです。自分で判断するために、あるいは自分自身の自由のために身につける教育、それが教養なのです。さらにそれを自覚しているのかどうかということが大切です。

要するに教養というのは、先ほど言った独立した人格としての個人が、社会との関係において、どのように自由な意志で、自分で決めた判断をしていくか、ということになります。そのために私たちはある程度の知識と、その知識を土台にして推論・判断、あるいは想像・思考する力をいかに獲得していくか、ということではないかと思います。

こんなことを言うとややこしい、難しいと思われるかもしれませんが、要するに、どういうことがあっても、自分としての判断を下し、自分独自に考えているのかということを、常に自分の問題として引き寄せて考えていく、あるいは判断していく、選んでいく、ということではないかと思います。それができる人間こそが、教養ある人間であるということですね。

大学とは何か？

大学では専門教育を受けて、専門的な知識を身につけます。専門的な知識を身につけるといっても、専門的な知識の獲得の仕方、つまり専門的な知識が持っている基本的な考え方・方法を身につけることが主軸だと考えています。こまごまとした具体的な知識は、本を読めば、あるいは最近ではインターネットを見ればわかるわけですね。個々の具体的な知識自体は、過去の集積されたものとしてあるわけで、それは別に大学でなくても、個人としても勉強できます。大学でわざわざ学ぶということは、私たちの生き方や問題の立て方、見えない原因の見抜き方といった「どのように考えるかの考え方の方法」を学ぶわけです。

ですから、大学は専門学校ではありません。専門学校の一番の役割は、技術を学び、一定の技量を身につけ、それを自分の職業の中に生かしていくということでしょう。ですから、社会的に認知された技量を獲得した証明が必要になります。そういうもの（資格や検定証明）をいろいろと集めて、身につけていくことが専門学校の役割だとすれば、大学は専門学校ではありませんから、やはり問題の立て方や生き方、見えない原因の見抜き方といった学び方の根本を学ぶことが、一番の目標ではないかと思います。

大学の先生にもいろいろな講義のタイプがありますよね。私は、単に知識を切り売りしている先生はあまり信用しないほうがよろしいという考え方で、「これはなぜどういうことで出てきたのか」「どういう考え方が当時あったのか」「どういう対立した概念がどう整理されて、こういう結果につながっていったのか」といった考え方の方向や流れを、きちんと、しかもさまざまな見方があったことまで示してくれる、あるいはそれがどのようにして選ばれてきたかのヒントを与えてくれる、そんな教育が一番大事なのではないかと考えています。むろん、そのような発想を身につけるうえでは、多様な学問や文化の基礎的な部分は習得しなければなりません。基礎として広がっている知識のうえで、捨てたり、拾ったりしながら一番筋がありそうなものを見抜いていくということです。

科学というものもそのような専門的な知識の集積とともに、科学の方法をいかに身につけるかということを、大学の教育の中で学んでいくわけです。科学が私たちにもたらしてくれるものは何でしょうか。一番目は「見えないものを見えるようになる」ということです。予言力や洞察力などと言いますが、実は君たち理工学部を選んだ学生たちのほとんどが、このような考え方をするのが好きです。そういう学生が多いのではないかと思います。理工系の学生は何らかの現象を目の前にした時に、「どうしてこうなるのだろう?」ということを考えたがるのですね。私も科学者ですから、そういう発想をしてきました。科学では、見えないところで何が起こっているのかを考えなくてはならない、想像しなくてはなりません。そのとき「こうではないか」「ああではないか」と想像するでしょう？　これを科学の言葉で「仮説」と言いますが、いろいろと想像するわけです。その中で一番合理的であると思われる、あるいは最も論理に従っていると思われるものを選んでいくわけでしょう？　そういう考え方がきわめて当たり前というか、そういう考え方を自然にしてしまうのが、理工系の学生の特徴だと私は思っています。であればこそ、理工学部を選んだのではないかと思うわけですね。

科学が私たちにもたらしてくれる二番目のものは、「さまざまな思いがけないつながりが発見できる」ということです。ひとつの発見がその他多くのものにつながっているという関係性や、さまざまなものの過去と関係しているという歴史性が見つかってきます。つまり、過去の事柄が現在どのように展開しており、そういう歴史の必然性がどこに発見できるか、といった面白さがありますね。科学はまさにそういう予見力と関係性を見いだしていく方法なのです。

ですから、科学の方法を学ぶということは、見えないところで何が起こっているかを想像する。その想像の仕方についていろいろな切り口があるから、どのような切り口で今進めるのがよいのかを学ぶ。その中で、さまざまなケースに応じた適切な切り口があることを見つけたり知ったりしていく、ということではないかと思います。

科学が私たちにもたらしてくれる三番目は、科学の方法は何にでも適用できるということです。むろん、それぞれの科学の問題に対応したものの見方があって、「ここはこういう見方で、見えないところで起こっていることを、こういうふうに組み立てて発見していくのだな」というコツを知っていく。その訓練を行うことが大学の一番の役割ではないかと思います。

強調したいのは、そういうことが自然にできていくためには、当然ある一定量の知識が必要だということです。それは自分で勉強してもいいし、友達と議論することで身につけていってもよく、いろいろなやり方があります。

学問の役割ということを考えるうえで、学問の本質について非常にうまい表現をしたものがあります。学問というか、むしろ教養と言ったほうがいいのかもしれません。「気をつけろ、悪魔は年取っている、だから悪魔を理解するには、お前も年取っていなくてはならぬ」というものです。これは、ゲーテの『ファウスト』のメフィストフェレスのセリフです。これがどういう意味かゆっくりと考えてみましょう。悪魔はあなたを誘惑するだけでなく陥れる、あるいは思いがけないことをもたらす災難かもしれない。私たちが生きて行くうえでのさまざまな困難かもしれない。そういうものには、どういう原因があって、どういう現象であって、どういう対処の仕方があるのか。それを私たちは理解したうえで、きちんと対応していかなくてはいけない。それを理解するうえでは、その悪魔、つまり私たちに対するさまざまな困難そのものが何であるかということを知らなければなりません。それを知るだけ年を取っていなければなりません、つまり考え経験を積むということですね。

マックス・ウェーバーは『職業としての学問』の中で「悪魔の能力と限界を知るためには、

悪魔のやり方を底まで見抜いておかねばならない」と言っています。「底まで見抜く」ために、学問があるということですね。「底まで見抜く」方法を学ぶことが学問であると言えるのではないでしょうか。

ずっと抽象的な言い方ばかりをしているので、わかりにくいというか、何を話しているのだろうと思うかもしれませんが、ここで私自身が言おうとしたのは、ひとつの表現、ひとつの切り口です。大学や学問、教養といった、いわく言いがたく、なんとでも表現できるような事柄に関して、こういう見方もあるということを押さえた上で、次に自分としてはどう考えるかというふうに進んで行ってほしいと思います。

なぜ「科学」を学ぶのか?

続いて、大学の中で「科学」を学ぶということの意味です。私は科学者なので、教養や大学についての哲学的な議論はこれ以上できないのですが、「科学」の話題となると、具体的にものが言えます。

現代は科学・技術に立脚した文明であるということは、皆さんも当然知っていることです。私はこの現代の文明を、あえて「地下資源文明」という言い方をしています。石油や石炭、ウランも含めた化石燃料と鉱物資源を使って文明を作り上げています。地下資源を科学・技術によって有効に利用して作り上げた文明という意味で、この社会において生じているさまざまな問題は、介在している科学・技術に起因することが非常に多くあります。

例えば、原発問題があり、遺伝子関連の問題では遺伝子組み換え、遺伝子操作、遺伝子診断などです。最近では遺伝子組み換えの代わりに受精卵そのものの遺伝子を組み換える「遺伝子編集」という、もっと高級なというか、手っ取り早いやり方もあります。おそらく今後十年あるいは二十年のスケールで、遺伝子に関わるさまざまな事柄がこの社会において非常に大きな問題になるでしょう。君たち自身が今後直面していく問題です。

地下資源文明の決定的な問題として、私自身は現在の地下資源に依拠する文明はそんなに長続きしないだろうと思っております。長続きしないといっても、まあ三十年や五十年はもっと思いますが、それ以後は疑問です。三十年後、五十年後というのは君たちが生きている時代です。つまり君たちが生きている時代に、地下資源の枯渇と、地下資源を使うことによる地球環境の悪化という、地下資源に起因する根本的な問題が非常に深刻になります。たぶん君たちの生き方自体にも大きく影響することになるかと思います。今日はこれ以上言いませんが、私自身は、「地下」資源文明から「地上」資源文明に乗り換える時期がそのうちやってくると思っています。地下資源に対して、地上の資源です。太陽の光や植物、風など、私たちの身のまわりに存在する等身大の地上資源に切り替わっていく時代が、例えば五十年という時間の間に必ずやって来るでしょう。

五十年という時間は、君たち自身はなかなか想像しがたいだろうと思います。むろん、私だってそう簡単に想像できるわけでもありませんが、私自身の実感として五十年という時間を大学卒業ぐらいから現在までたどってくると、社会が非常に大きく変化してきたことがわかります。ほとんど想像もしなかった事柄が現実化した状況になっていて、その大きな変化はやはり科学や技術がもたらしたものです。科学や技術がもたらしうる問題に対して、私たちが何らかの知識を、あるいは何らかの対応策を持っていなければ、その科学や技術に起因するさまざまな問題点を解決することにはなり得ないのではないか。だから、科学や技術から生ずる問題に対して、何が原因であって、どういう手を打てるのか、その結果として次に何を用意しなければならないのか、といった段取りを考えていくということにつながっていかなければならないわけです。

今や、何か事が起こった時に、自分たちは知らなかったということで済ませられない状況になってきています。生殖医療や臓器移植、ドローン、地球温暖化など科学や技術に起因する実にさまざまな問題がどんどん起こっております。それに対して私たち自身が「知らなかった」と言うわけにはいかない。現代人は科学や技術と無縁でかつ無知で生きて行くことはできないのですね。

もう一度言います。理工学部を選んだ君たちは、他の学部の学生たちよりも科学や技術により近い、あるいはそれらをより容易に理解できる存在なのです。今すぐに理解できない問題は多いかもしれないけれど、少し勉強すれば理解できるようになります。それから一番いいことは、これから専攻を選ぶのでしょうが、ひとつの分野についてマスターすると、その考え方はさまざまな周辺の問題にも適用できるようになります。例えば、私は原発について専門的に研究したことはないのですが、本を数冊読めば、原発の問題点のだいたいのところはわかります。福島の事故が起こる十年ぐらい前から、原発は危ないと著書などでもずっと主張してきておりました。科学や技術には、ある程度共通する法則性のようなものがありますから、あるひとつの分野の、あるやり方や考え方を身につけると、それは別の分野のいろいろな問題に適用できるわけです。それによって君たち自身が、他の学部の人たちよりも深い物の見方で意見を述べることができるようになるはず、ということですね。本来そういうことができるはずの人が、現実世界で実際にまともな意見を述べているかどうかは別として、できるはずなのです。

ですから、君たち自身が大学で科学の専門を学んでいくということは、今後生じてくるだろうさまざまな科学に関わる問題を、本質的な意味で理解する素地を身につけていくことです。現代は科学や技術と無縁で生きられないことは明らかです。例えば原発事故が起こった時には、「安全神話にだまされた」という言葉が非常に多く言われました。あるいは戦時中には「神国日本」「万世一系」といったいろいろな神話がはびこり、人々はそれなりにそれを信じていました。今から見ると、「そんなアホなことがあるか」「神が守ってくれる国なんて」と思うのですが、それは現代と科学知のレベルが違うだけなのです。最近では「教育勅語はよい点もある」という人が首相になっている国ですから、将来どんな神話が再び罷り通るようになるかわかりません。やはり、そうした神話や、われわれが理由なく信じている物語に関しては、十分に注意しなければなりません。そして、物事の本質を知った君たちは、いろいろな面で科学的な観点からその本質をえぐり出すことができるようになるというわけです。

現代のような科学・技術の時代の中で、科学・技術が寄与する利得だけでなく、科学・技術がもたらすさまざまな矛盾や弊害もあります。これを私は「反倫理的な行為」とも言っているのですが、例えば原発には技術的な問題もいろいろありますが、もうひとつの側面は、原発はそもそも反倫理的な技術であるということです。反倫理的な技術である最も典型的なものが原爆でしょう。人を殺す以外に何も役に立たない。生活のためになるものではない。しかしながら、人類は原爆をやめることができていないわけです。それは原爆あるいは水爆という核兵器の抑止力という考え方がもたらしているものです。抑止力というのは、これだけ恐ろしい兵器を持っているから、誰も責めてこないだろうということですね。だから相手が攻撃するのを抑え込む、抑止する兵器として核兵器が存在している。しかし、何かおかしい論理ではありませんか？　それで戦争が一応止まっているのは変だとは思いませんか？　一歩間違えば、絶滅しかねない武器を何万と貯えているのですから。

今、北朝鮮が盛んにミサイルを飛ばし、核実験をやるというふうにして、挑発をしているかに見えるでしょう？　アメリカのトランプ大統領がいつ核のボタンを押すかわからない。そういう恐怖もあります。それは科学・技術がもたらす本質的に非倫理的な問題をまったく考えずに、単に武器としてしか考えてこなかったからですね。核兵器は人間を残酷に殺す。人間の創造物を無惨に破壊することが主目的の兵器でしょう？ それによって守られている人間社会のおかしさみたいなものを、やっぱり私たちは常に批判し続けなければなりません。その批判の非常に根本的なところにあるのが、「そういう科学・技術があっていいのか」「非倫理的な科学・技術がのさばっていていいのか」という問いではないでしょうか。このことは実はいろいろな問題とも関連しています。

原発の非倫理性について言えば、例えば原発は、その危険性から人口が少ない過疎地に作らなければなりません。産業が興しにくい過疎地に押し付けられるわけです。それから、原発はウランという放射性物質を扱う技術ですから、下請けの労働者に常に被曝を押し付けているわけです。被曝労働がないと原発は動かせないのです。さらに原発で生じた廃棄物は、十万年スケールで安全に保管しなければなりません。これはわれわれが子孫に押し付けるわけです。こう見ると、原発というのは「押し付ける」という非倫理的な論理によって成り立っている欠陥技術であることがわかると思います。押し付けることができなくなったら、原発は立ち行かなくなる技術なのです。しかしながら、原発は安全神話で守られてきたわけで、事故が起こって、はたと「これはおかしい」と気がついたというわけです。

そういうふうに現在の社会構造の中で、さまざまな矛盾、あるいは非倫理的な要素があっても、それが隠されているというか、私たちとは関係のないところでのみ生じているかのように思っているわけです。現実には大いに関係があるのですが、私たちは知らないままやってきました。そういうことを見抜く力というのも、やはり教養の力、そして科学の力だと思います。

科学の「いま」を考える

科学の「いま」ということを考える時に、私は科学の二面性ということを強調しておきたいと思います。光と影、正と負、プラスとマイナス、善と悪です。すべての物事にはプラスとマイナスがあるのですね。すべてが良いということはありえません。マイナスの側面が必ずあります。

かといって、科学抜きに私たちの生活を成り立たせることはできません。とすると、いかにしてその矛盾を先鋭化させずに、被害を小さくするか、困難を克服するか、そういう発想をとらなければならないわけです。そういう発想をとるうえで非常に重要なのが「トランスサイエンス問題」と言われている文系・社会系と理系の間の連携です。文理の分野を越えた議論が必要だということです。物事の考え方の交流が必要である。これをトランスサイエンス（サイエンスをトランスする、つまり科学を超える）問題と言っています。要するに科学だけで閉じさせることができない、そういう問題が実にたくさん生じています。

例えば建物の例をあげましょう。「耐震基準」というものがありますね。強い地震がやってくると、建物が壊れるから、「これだけの地震には耐えられるようにしなさい」と地震動の上限値を定めるわけですが、その時の「これだけの」というのが基準の眼目ですね。それに耐えられるような建物作りをしなくてはならないと、建築基準法で決まっているわけです。この耐震基準というのがどうやって決められたかを考えてみましょう。技術水準が非常に甘くては基準になりませんから、必ずある種の厳しさが必要です。しかし、極端に厳しい基準も採用できません。すべての地震に耐えられる建物なんかありえないでしょう？ 造れないわけです。造ろうと思えば、十メートルぐらいの厚さの壁にすればいいかもしれないけれど、そんなものは経済性に合わないし、使い勝手も悪い。やはりわれわれは日常生活の中で、技術を、それなりの生活の便利さを考え、かつ経済的にも合うようなレベルで使っているわけです。あまり値段が高すぎてもダメだし、あるいは安すぎてもダメで、値段が安く施工できるようになったら基準を上げてより厳しくしています。耐震基準がだんだんときつくなっているのには、そういう側面もあるわけです。

つまり、耐震基準はどういう要素で決められるのか。科学的要素だけでなく、生活上のニーズ、あるいは社会的・経済的な要求がありますね。さらに現実に数十年に一回は遭遇する地震の頻度と強度といったさまざまな要素を考え合わされて、耐震基準ができ上っているはずです。同様に、さまざまな技術において現実の基準が決められていますね。原発にしても基準地震動が決められています。各原発に関して基準の地震の大きさというのが決められている。それを超えないように安全設計をしなさいという決まりがあるのです。

本来、原発は、私たち自身の社会生活と密接に絡んでいるため、基準の決定には私たちの意見も反映しなければならないわけです。実際、建築物の施工においては、社会的なさまざまな議論の下で基準が決められているはずです。今の耐震基準で言えば、経済性の問題もあるし、人間の選択の問題もあるし、政治的駆け引きなどのさまざまな要素もあるかもしれません。単に科学や技術レベルだけで決まるものではないわけです。また、パブリックコメントが反映できるようにしなければなりません。さまざまな要素が集まって決まってくるわけですから。

こういうことを科学だけで閉じない、トランスサイエンス問題と言います。現代はトランスサイエンス問題が実にさまざまあるわけです。これは、市民として科学とどのように付き合うかということが投げかけられている非常に重要な問題としてあると思います。

科学には二つの側面がある

私たちは、科学のすばらしさばかりを強調して、科学の悪の面や弊害の面をつい忘れがちになります。そういうマイナスの側面をもう一度きちんと押さえながら、科学の良さを生かしていくことが必要でしょう。

科学の二つの側面にはいろいろな言い方があるのですが、私はここで四つ挙げてみます。

(1) 科学の効用 vs 科学の弊害

科学の効用と科学の弊害については、みなさんもよく知っていると思います。生活の向上や社会の生産力を増加することは絶大なる効用です。夏目漱石が四十八歳で死んだのは、当時の平均寿命だったわけですが、今ではその二倍ぐらい長生きする人がざらにいるでしょう？　科学の効用であるのは確かです。しかし他方では、社会における科学が原因の損失も増えているわけです。

私がここでよく取り上げるのは、効用として人間の能力が拡大されるということと、その弊害です。人間個人の能力ではなく、例えば車に乗り、飛行機に乗りということで、人類の足の能力が拡大されたのですね。人間の行動範囲がどんどん増えました。あるいはメガネを使うことによって、目の能力も拡大されました。コンピュータを使うことによって計算力もアップし、字を書く能力も増えました。そういうことはプラスとして働いているけれども、そういう能力が拡大したことによって、逆に弊害として私たち個人の人間としての固有能力は失われました。

例えば、今、田舎では車に乗らないと生活できない状況になっています。すると何が起こったかというと、糖尿病が増えたのですね。運動することが少なくなってきたからです。あるいは、エアコンをどんどん使うようになって、熱中症が増えてきたでしょう？　これは汗をかく能力を私たちが失いつつあるからです。というように、便利にしていく、豊かにしていくということは、他方で私たち個人の固有の能力が失われていくことにつながっており、これはマイナスなのです。同じ事柄でもプラスマイナス両面があるということです。

(2) 文化のため vs 社会のため

科学の二つの側面として、「文化のため」と「社会のため」ということを私はよく対比して言っています。文化というのは直接、金儲けには役立ちません。しかし、文化というのは人間の精神的な活動の所産ですから、見返りを要求しませんが、「ある」ことが大事で、なければ寂しいわけです。要するに、文化がなくても人間は生きられるわけですが、ないと、私たちは精神的に非常に大きな欠落感を持つわけです。文化というものは物質的な生活の役には立たないのだけれど、人間の精神的な生活には大いに役に立っているのです。

「無用の用」という言葉がありますが、私自身は、科学の営みは本来、文化のためにあると考えています。十九世紀になってから、科学が技術と結びつき、人間の生活に非常に大きな影響を及ぼすようになったのですが、それまでは Science for Culture だったのですね。文化のための科学、あるいは哲学としての科学だったわけです。博物学の時代ぐらいまで科学は自然哲学であって、人間の生活に直接役に立つことを目的としたものではないけれど重要なものとして人々は大事にしたのです。

そのため、それまで科学の文化的な側面が非常に重要視されていたのですが、十九世紀後半から二十世紀になって、科学が人間の役に立つということ、経済的利得と結びつくことがやたらと強調されるようになりました。「社会のため」に役に立つということです。この問題は日本だけではなく、全世界的な傾向です。経済論理に科学がどんどん飲み込まれていって、役に立つということを言わないと、研究費も取れない状況になっているわけです。果たしてそれでいいのか、ということをもう一度考え直していかなければなりません。

よく科学者は「長い目で見たら、いずれは人間の役に立つのだから、今は役に立たなくてもいいじゃないか」という言い方をします。それはだいたい当たっているのですが、私はそういう言い訳じみたことをいう必要はなくて、「役に立たなくていいのではないか」とはっきり言えばいいと思います。文化として人間の生活、あるいは人間の精神的な側面に大きな寄与をしているのだということを認識する必要があるからです。文化の創造ですね。文化こそ、人間らしい行為です。人間らしい生き方をする証明として科学はある、とも言えるわけです。

(3) 軍事利用 vs 民生利用

もうひとつの科学の二面性は、同じひとつの科学や技術であっても、軍事的な利用と民生的な利用の両面があるということです。このことについて現在、「デュアルユース」という言い方がよく使われるようになりました。デュアルとは「二つ」「両義的」ということですね。ロケット、レーダー、原子力、コンピュータ、ロボット、ドローン、ナノテクノロジー、DDTなど、いろいろなものが軍事的に開発されたのち、民生的に利用されて役に立っています。

この問題で焦点が当たっているのは科学・技術の軍事利用で、政治においても科学の世界においても、「デュアルユース問題」として議論されています。おそらく、特に理工学部に進む君たちにとっても常に問いかけられる問題だと思います。いかなる科学・技術の成果も軍事利用にも平和利用にも使えます。人を生かすのにも殺すのにも、同じひとつの道具が使えるわけです。

民生的に開発されたものを軍事的に適用・応用することを「スピンオン」と言います。軍事にオンするということです。大学などでふだん開発している技術は、みなさん民生のためにやっているわけでしょう？　人々の幸福のためにと思ってやっているのだけれども、軍が開発資金を出して軍事利用してしまおうというわけです。スピンオンというのは、本質的には民生技術の軍事利用への横取りであると私は思っています。だから、これには徹底して抵抗していかなければなりません。

もうひとつ、自衛隊や政府が言うのは「スピンオフ」です。軍事利用されていたものを今度はオフする。軍事から外して民生に応用する。非常に便利なものがいろいろと開発されてきたではないかと、彼らは言うわけですね。カーナビのGPSも軍事技術でしょう？　インターネットだって元々は軍事技術ですよね。電子レンジも軍事技術由来です。というように、実に多くのものが軍事技術から民生利用に転用されて、「いろいろと便利になったではないか。豊かになったではないか」とおっしゃるわけです。これは私も事実であると思います。

しかしながら、なぜそういうことが起こっているのかを考えてみる必要があります。つまり、軍は軍事利用のために莫大なお金をかけるわけですね。採算を考える必要がなく、「戦争に負けてもいいのか」と脅迫して政府からどんどんお金を出させ、それで科学者に開発させるわけでしょう？　ですから、もちろんできますよ。普通の民間企業がやるのとは違うわけです。民間企業の場合は、採算を抜きにしては手がつけられない。儲からないとやれないわけですね。それを軍は儲けを考えずにやれる。むろん軍の目的のために開発したものは軍事独占でさまざまに利用するわけです。まさにデュアルユースですから。砂漠の軍隊の位置、人工衛星の位置、潜水艦が浮き上がった時の位置というように、正確な位置決定は全部ＧＰＳ関連で行っています。そうした軍隊のために開発した技術が、現在では車の位置決定に使われているわけでしょう？　一つの技術が軍事にも民生にも両面使えるのです。それを軍は、いかにも私たちのためを思って開発してきたかのように言うけれども、実際にはそうではありません。まず軍のために徹底利用して、一定の利用成果が上がったら民間用に開放しているのです。それをいかにも軍が恩着せがましく宣伝するのです。逆に言うと、軍がものすごくお金をかけても、成功しなかったものもたくさんあるはずです。そうしたものについては一切言わない（言えない）から、われわれにはわかりません。

というようなことですから、スピンオンとスピンオフの内実を私たちは知っておく必要がありますし、デュアルユースの問題は、特に工学関係の人たちが今後直面する問題だと思います。直面した時に、私が求めるのは、やはり自分たちは、何のための、誰のための研究をしているのかということに常に立ち戻るということです。その研究が、軍のため、あるいは特定の政府のためであれば、拒否する、抗議する、協力しない、あるいは適当に怠けるという選択をします。まったく協力しないと言って、会社をクビになってしまったら、またしんどいですからね。「そういう研究は、本当に人々のためにならないですよ。この会社のためにもならないですよ」と言い続けることが大事ではないかと思います。これならクビになりませんから。もしも本当に人を殺す場面に直面したら、辞めなければいけませんが。

この問題を考えるうえで知っておいてほしいのが、筑波大学の山海嘉之（さんかいよしゆき）さんというとても有名な方のことです。ロボットスーツを発明した人です。筋肉の弱った人たちがこのロボットスーツを着ると、ちょっとした神経の動きを敏感にとらえて筋肉に伝えるので、ものすごく力が出せるわけです。当然それは軍隊もとても欲しがるものです。身体が丈夫な軍人が戦場で使えば、重い大砲だって平気で運べるわけですから。そのような発明品はまさにデュアルユースでしょう？　重い物を持ち上げるためのスーツは、からだの弱い人のためにもなるし、軍人のためにも使われる。そこで山海さんは自分でベンチャー起業して、「軍隊には決して売らない」ということを会社の方針とされているわけです。

しかし彼が売らないと言っても、現代の資本主義社会の中では、特許を産業界や軍が買い込んで、その技術を改変して特許にひっかからない新しいものに変えていくという道が開かれているわけです。その研究が産学協同で行われ、大学が参加したりもするわけです。そうした複雑な経路になっているため、単純ではありません。でも山海さんは常に「軍のために使うのではない、平和のためにしか使ってほしくない」ということを言い続けられています。科学者や

技術者ができるのはそこではないかと思います。それを言い続ける。そして、その信義を掲げるとともに、軍に使われないように警告し続けていくことではないかと思います。そうした社

会的責任を意識することこそ、科学者・技術者として必要な資質ではないかと思います。

⑷ 明確に答が出る科学 vs シロクロがつかない科学

もうひとつ、これは二面性というよりは、科学には二つの種類があるということで、科学を学ぶ者として押さえておかなければならないので付け加えておきます。要するに、科学には「単純系」と「複雑系」の二種類があるということです。

「単純系」というのは、より簡単なものに問題を集約していくと、たいていのことはわかる、つまり問題を小さな要素に分割して小さくなった部分を全部徹底して調べ上げて、それを後で足していくと、「部分の和＝全体」になるという「要素還元主義」的な考え方です。これは、素粒子論、化学、生命科学などが採ってきた考え方であり、これまでの科学で大いに成功してきた方法です。つまり、根本的なものに立ち戻れば、法則はより簡明になり、明確にわかるということを突き詰めた手法なのです。

しかしながら、そのように単純な系に分けても、簡明にならない問題がたくさんあるわけで

す。それが「複雑系」です。例えば気象などがそうでしょう？　地震にしても予知できないですよね。人体もそうで、体の構造は皆同じなのに、人によって実にさまざまな反応の差があるわけでしょう？　生態系や人間の経済活動などもそうです。多様な多成分系であって分割しても単純な系に帰着せず、成分が互いに複雑な非線形の関係で結び合っている場合、単純な系では起こり得ない現象がいろいろと起こるわけです。

よく言われるのが「バタフライ効果」でしょうか。蝶々が飛ぶと、弱いけれども空気の流れができますね。そんな流れはふつう、空気分子間の粘性で消えてしまうわけですが、何かの拍子に、何らかの非線形効果によって、空気の流れがどんどん増幅されることがあるとしましょう。その増幅効果が積み重なると、最後には台風になってしまいます。蝶の舞が台風にまで発達する、そういう思いがけない現象があるというたとえ話です。これはまさに複雑系の最たるものです。天気予報は、三日ぐらいから先になると、的中する確率がどんどん下がっていきますね。それは、ほんのちょっとした空気の揺らぎがどんどん成長していくのだけれど、その揺らぎすべてをコンピュータで拾うことができないからです。揺らぎが大きくなって天候に影響を与えるので計算に組み入れますが、どの揺らぎが大きくなるかあらかじめ予見できず、最初の予想とは異なった気象状況になってしまうので、お天気の的中率は下がるというわけです。

こうした複雑系とどう付き合っていくかということが、これからは大切になってくると思います。複雑系は、単純系とは異なり、これまでのやり方が通用しないシステムです。つまり、これまでのやり方で取り組んでも明快な答えが出ないのです。そのため「科学的根拠がない」として切り捨てられることが多いのですが、これは単純系に毒された見方です。常にきれいな一対一対応で答えが出てくるわけではないからです。こうした複雑系の問題にどうつきあうか、ということが今後非常に重要です。大学で教わるような物理や化学や工学の問題も、だいたいは単純系で、答えが明確に出る問題しか教わらないわけですが、むしろ私たちが今後つきあわなければならないのは複雑系なのです。この複雑系の問題も頭の隅に入れておいていただきたいと思います。

つまり、複雑系の「不確実な知」とどう向き合うか。科学ですべてがわかるわけではないということ、安易に結論に飛びつかず常に懐疑すること、この二点を忘れないでいてほしいと思います。そのためにも別の論理を持ち込んでもらいたい。利益より安全を優先する、「疑わしきは罰する」(予防措置原則)、短期の利益と長期の損失のバランスを考える、未来の世代への負の遺産となっていないかを検証する、欲望を抑制する、そうした原則や観点を忘れずにいてほしいと思います。

科学・技術を学ぶ君たちに

最後に、科学・技術を学ぶ君たちに言いたいことは、次のような三つの習慣を心がけてほしいということです。

①想像力を発揮すること

理工系を学ぶ君たちは、「なぜ」とか「どういう仕組みになっているか」「こうならこうだろう」というような、見えない部分についての想像力を持っています。そういう力を、またそういうことを考えるクセを身につけている君たちですから、想像する能力を基本に持っているわけです。その想像力をより豊かにし、自分が行っている科学・技術の問題に適用していって欲しいと思います。

②真実に対して忠実（誠実）であること

科学・技術を突き詰めると、ある意味で答えは明快になってくるわけです。複雑系であっても「だいたい答えはこのうちのどれかで確かですよ」ということまで言えることは確かです。その時に、嘘を言ったり、ごまかしたり、曖昧にしたり、忖度したり、そういうことが今の社会では多いわけです。それは真実に対して忠実ではないということです。科学や技術が意味することについて、真実に忠実に、そして誠実に向かい合わなければなりません。

③すべてを公開すること

科学や技術が成り立つ非常に重要な要素として、データがすべて公開されねばならないということがあります。さまざまな側面のデータや見方がいろいろと出されることによって、より真実に近づきやすくなる、真実により早く到達するわけです。広く知識を共有するということは、科学や技術を進めるうえで決定的に重要だということを覚えておいてください。

この三つは、理工分野に進む君たちにとって重要な心得として、生き方の指針にしてほしいと思います。

もうひとつあります。むろん、科学者や技術者である前に、君たちは一市民であるわけです。一市民として素直に意見を述べていくことが大事です。君たちがこういう習慣を身につけてくれれば、非常にうれしいと思います。

（慶応大学理工学部第61回人間教育講座 17年4月）

Ⅳ

社会とシンクロナイズする科学

本章の前半では、科学および科学者の、社会における在りようについて論じた文章を収録している。ここで強調している事柄の第一は科学者の社会的責任で、それは科学倫理に裏打ちされていなければならないことである。科学技術社会と呼ばれる現代において、科学・技術が社会に福音をもたらすのみではなく、科学・技術に起因する事故や事件が起こっていることも確かである。科学者・技術者はそれに対する何らかの責任を負っているはずで、自分たちは作るだけの人間だから責任がなく、それを使う現場の人たちに責任がある、と言うのは正しくないだろう。そのことを語りたかったのである。

そこで科学者に対して、その倫理と社会的役割についてまとめた文章を集め、科学者の原点に立って、あるべき姿を提示してみた。「野蛮」と「文明」が対立する世界の構造は変わっていない。そのことを意識して科学者としてあるべき姿を模索して欲しいと願っている。また、原子力利用に関わって「新知見」という概念が持ち出されたのだが、果たしてそれは科学者・技術者の社会的責任といかなる関係にあるのかを問うた論稿も加えた。科学を取り巻く社会は広く、どのような立場で科学と社会を論じるかで、論の立てようも異なってくるのである。

後半では、日本の社会的・政治的な動向のなかで感じてきたことを綴った文章を収録した。これらの文章には、私たちが気づかないままに進行する政治の右傾化や軍事化の動き、科学・技術の発展への無条件の礼賛、短期的な視点のみでしか判断しない現代的習性などについて、「ちょっと待てよ、ゆっくり考えてみよう」と呼びかけておきたいとの思いで共通しているだろうか。

取り上げる題材は多岐であるが、完全にバラバラというわけではなく、科学に関係していることは言うまでもない。それらは、今後社会に広がるであろうＡＩ（人工知能）関係、原発を始めとする原子力利用の後始末問題、脳神経神話などの世間に広がる科学の悪用などである。それ以外に、いったん制定された法の行く末など、「法治主義」や「悪法も法」が求められる社会に対して、「正義」とか「倫理」と矛盾する場合にどう考えるべきかを考えた文章も付け加えた。

「世相診断」や「世相批判」となるよう意識しており、社会の動きを見ながら世間話をするような気楽な気分で読んでいただければと思う。

科学・技術の報道に期待すること

私のこれまでの歩みをたどりながら、科学ジャーナリストに対して期待することを並べてみたい。私の狭い範囲の体験からのことだから一般的ではないかもしれないだろうけれど、科学者として、またこれまで科学評論を論じてきた人間としての感想だから、少しは参考になることがあるかもしれない。

期待1：科学と社会分野について

宇宙物理学を専攻していた私が、「科学と社会」に関わる問題に関心を寄せ、科学評論じみたものを新聞等に書き始めてから二十五年くらいになる。当時、朝日新聞の文化欄で「科学を読む」というコラムができ、三か月に一回程度、科学の文化的側面や社会的意味などについて書く機会が与えられたからだ。そして、一九九五年に素性が異なる三つの科学に関わる重大事件が起こった。一月の阪神・淡路大震災、三月のオウム騒動、十二月の高速増殖炉「もんじゅ」のナトリウム漏出事故である。その各々について現代の科学・技術のあり様を検証しつつ、市民としてどのように考えるべきかを論じたのである。

ちょうどその頃から、世界でも日本でも、科学・技術の成果をどう社会に活かすか、社会における科学・技術を受け入れる条件は何かなど、積極的に科学と社会を結びつける議論が行われるようになっていた。科学・技術がもたらす利便とともに弊害も大きくなり、このままでは科学へ莫大な投資をしているにもかかわらず市民の支持が得られなくなる、そんな懸念を為政者たちが持ち始めたためでもある。その端的な現れは先進国に共通する「若者の理科離れ」で、国の未来に科学・技術が必須であるにもかかわらず、後を継ぐ人間が不足するとの懸念を持ったのであろう。

一九九九年の世界科学会議では、「知識のための科学」だけでなく、科学に対する社会の信頼と支持を得ることを目的に「平和のための科学」「開発のための科学」そして「社会における、社会のための科学」が科学の責務に加えられた。まさに、科学は生活実践と結びつくことが期待されるようになったのである。日本でも二〇〇一年には研究者集団が「科学・技術・社会論学会」を創設する一方、国として科学技術振興機構が科学コミュニケーションセンターと科学未来館を設立し、東大・北大・早大に科学コミュニケーションに関わる講座を発足させた。それ以来、科学の祭典とか科学フォーラムとかサイエンスアゴラなど、市民と科学をつなぐさまざまなイベントが催されるようになった。大学や研究機関も広報部門を強化し、オープンキャンパスで研究現場を公開し、プロモーションビデオで研究現場の映像を作成するなど、科学と社会を結ぶ回路を意識的に強めてきた。当然、ジャーナリズムにおける科学報道も、科学分野を充実させたり、環境や医療の分野を加えたりするなどして、科学と社会を結び付ける役割を果たすようになった。

このように、この十五〜二十年の間で科学と社会はより緊密な関係を築いてきたはずなのだが、さて現実はどうなのだろうか。そして、社会が科学を見る眼差しはより多層的になったはずだから、その検証を科学ジャーナリストとして行うべきではないかと思っている。その一つの視点は、次世代の科学者を育てる大学や大学院で科学と社会に関わる教育がどのように行われているかを点検することだろう。未来の科学者として守るべき義務や課せられた責任、そして従うべき倫理教育のことであり、より広く科学者の社会的リテラシーを身に着けるためには何が必要かを、実際の研究者養成の条件として論じてはいかがだろう。そして、もしそれが不十分にしかなされていないならば、どこに問題があるのかを徹底して調べ分析することである。

実際、STAP細胞騒動が起こったが、若い科学者にデータの扱い・画像の管理・実験ノートの完備など、研究者としての基本的な心得を身に着ける教育が不足しており、さらに他人の論文の盗用・画像やデータの捏造(ねつぞう)や改竄(かいざん)など研究不正に関わる倫理教育もなされていなかったことが露呈した。その背景には、現在の研究者養成の現場がさまざまな理由で荒れる状況があるためと私は考えている。指導教員である教授が、極めて多忙で研究者教育を十分に行う余裕がなく、商業主義・競争原理においまくられて丁寧な仕事をしなくなっていること、指導教員に倫理教育を行う力がなく、そもそもその重要性を認識していないこともある。その結果として、優秀なだけで社会的常識に欠けた研究者が増えてしまった。また、若い研究者は任期付きのポストしかなく、データ集めに追いまくられ、教授の言うことに従わねば先行きの見込みも立たない環境にある。そのような状況の中では、研究不正行為に手を出してしまうことは極めてあり得る状況なのである。

このように研究現場で展開している実情をじっくり調査し、今の科学が置かれている背景を客観的に分析することが重要なのではないだろうか。科学と社会が結びつくどころか、科学はむしろ社会から離反する状況に追い込まれているのである。科学と社会をしっかり論じられる人材を育てることが必要なのだが、いわゆる科学・技術・社会論の専門家には期待できない。かれらは研究現場をリアルに知らないまま、科学の社会論を論じているだけであるからだ。とりあえず、科学の研究者で大学をリタイアした教員が、科学者教育・科学倫理教育を行う教育システムを提案してはどうだろうか。自らの研究経験から何らかの反省を持っているはずで、科学技術振興機構の科学コミュニケーションセンターの重要な任務だと思うのだが、なかなかそのようにはなっていない。そのようなアイデアをジャーナリストが提案をすることを期待したい。ジャーナリストも科学者の教育システムにおいて重要な役割を果たしているからだ。

期待2：科学の変容の再点検

サイエンティストという英語は十九世紀半ばにイギリスで造語された。専ら(もっぱ)研究を行うことを仕事として給料を得る科学者が増え、要素還元主義に基づいて科学の細分化が始まったのがこの頃であった。しかし、まだ科学はナチュラル・ヒストリー（博物学）の伝統を引きずっており、ようやく二十世紀を迎える頃に、現代科学につながる変容を遂げたと言える。ここで言う科学の変容とは、(a) 科学の制度化、(b) 科学の軍事化、(c) 科学の技術化、(d) 科学の商業化である。その各々を百年前と比べつつ再点検してみるべきだというのが、ジャーナリストへの二つ目の期待である。

(a) 科学の制度化

科学の制度化とは、国家が科学研究の主たるスポンサーとなったことを指す。その結果、科学者たちは国家の重要な機関にとりこまれ、国家から財政的な援助を受けるようになった。ともすれば国家に隷属しかねない危うい状態にもなったのである。電子技術・IT革命・遺伝子操作・人工知能など、時代を先導し、新しい産業に結びついた科学・技術が、国家の命運を握る重要な役割を担うようになり、それに応じて国家からの科学・技術への投資が増大してきたのである。そのような国家と科学の関係が、現代いかなる状況にあるのかは極めて興味ある課題ではないだろうか。

実際、国家は大学への財政負担の大きさに耐えきれなくなって予算の削減に努める一方、産業化できるノウハウを大学から得たいと望んでいる。その結果、日本では産学官連携などと称して、産業界と結託して特定の重点課題を絞る一方（「選択と集中」）、大学そのものは貧困状態に追いやるという政策を採用している。これでは科学の基層力は育たず立ち枯れる危険性があるのだが、そのことは無視されて科学の実態は歪んだまま進行しつつあるのが実情だろう。文科省は経済界からの圧力に迎合して、財政誘導をテコにして国立大学を種別化する改革を強行し、文科省の意のままになる大学作りに邁進している。このような科学の制度化の現状を洗い直すことが求められているのではないだろうか。

その中で、国家に役立つとされた分野の研究者がおしなべて御用学者となり、あるいは企業と癒着して、市民のための科学とは縁遠くなっていることが露わになっている。事実、原発の再稼働に突き進む原子力の専門家、微量放射線問題でひたすら安全を標榜する放射線防護学の学者、薬品会社から援助を受けながら薬の治験を行う医学者、無理と知りつつ地震予知の看板を長い間下ろさなかった地震学者など、歪められた科学者の使われ方となっていることを告発しなければならないはずである。それをやるべきなのはジャーナリスト以外にないのではないか。

(b) 科学の軍事化

科学の知識が戦争に役立つことはアルキメデス以来知られていたが、二十世紀に入って二つの世界大戦を経るうちに科学者の組織的動員による科学の軍事利用が行われるようになった。特に、第一次世界大戦における毒ガスや航空機の開発、第二次世界大戦における原爆やレーダーの開発など、特定のプロジェクトへの科学者の総動員を敢行してきたのである。そして第二次世界大戦が終わってからは、科学者の常時動員体制を作り上げた。軍事研究をもっぱらとする研究所を国家が設立して軍事開発を行わせるとともに、民間の大学や研究機関における民生研究に資金を提供し、軍事転用が可能なものについては共同研究を申し入れて連携・利用するという方針を採用するようになったのだ。今や軍事技術と民生技術を明確に区分けすることは不可能であり、少しでも軍事に有利な技術開発があれば、軍当局が金で買い取るのである。そうすると、わざわざ大学の研究者を軍事動員する必要がなく、安上がりで技術開発が可能となる。また、大学の研究者にとっても、主観的には「自分は民生技術を開発しており、軍事利用は専門家がやっているのだから」と罪の意識を持たなくて済む。このようなアメリカのＤＡＲＰＡ（国防先進研究計画局）の手法が世界に広がっている。このように現実に進められている軍学共同の実態について、世界の状況を洗い出せば共通する問題点が引きだせるのではないか。

日本においてもこの方式が本格的に進められようとしている。実際、二〇一三年に出された防衛大綱に「防衛生産・技術基盤の維持・強化」を図るために、「大学や研究機関との連携充実等により、防衛にも応用可能な民生技術の積極的な活用に努める」と書かれ、二〇一五年度に入って防衛技術研究本部（防衛装備庁へ改組された）が募集する「安全保障技術研究推進制度」と称する防衛省の委託研究制度が創設されたからだ。これにより、大学や研究機関の研究者が公的に軍事研究に携わること（軍学共同）が可能になったのである。これによって、海洋研究開発機構や宇宙航空研究開発機構の基礎研究の軍事利用への応用が本格化している。現時点においては、この制度による研究は公開しているが、やがて特定秘密保護法によって研究成果が秘密指定され、一切が闇の中に追いやられてしまう可能性が高い。軍学共同がこのような秘密研究になりかねないことへの警告のキャンペーンを張らねばならないのではないだろうか。

研究費が喉から手が出るほど欲しい研究者が、我も我もと防衛省からの研究費につられて靡(なび)いていくのではないか。愛国主義が擽(くすぐ)られ、何が悪いと居直る研究者が増えていく、私はそのことを強く心配している。科学の軍事化の行き着く先であるからだ。

(c) 科学の技術化

科学の技術化とは、科学で発見された原理や法則が、技術によって人工物として生産されるようになることを指しており、その過程の時間がどんどん短縮され、今や科学と技術が二人三脚となって区別がつかない状態にさえなりつつある。ナノテクノロジー、ロボット（人工知能）、iPS細胞、遺伝子操作などの分野が代表的なのだが、他の分野も洗い出して科学の技術的応用が性急に進行している実態を明らかにする報道を期待したい。

というのは、そのような分野では技術的な側面を先行させて早く商品化する（治療に活かす）ことに熱心になるため、科学的原理を明らかにすることが疎かなまま、その欠点を十分にテストしないで社会に出してしまう危険性があるからだ。一般に科学的に原理や法則をきちんと押さえておけば、その全体像から欠陥を明らかにできる可能性が高いのだが、技術的応用を急ぐと部分的な対策のみとなって根本的な欠陥を見過ごしやすい。実際、企業が技術化を急いだために、社会に出回ってから深刻な問題が生じたことは何度もあった。薬害がその典型だろう。薬の成分の欠陥も含めて科学的特性を明らかにしないまま、一部の良さだけに着目して商品化して、多数の被害者を出してきたのだ。ナノテクノロジーではアスベスト公害の二の舞になりかねないし、ロボットでは軍事利用が優先されていく危険性を警戒しなければならない。iPS細胞ではガン化の可能性をゼロにするまで技術化を控えねばならないのは当然である。遺伝子改変では受精卵の操作にまで手を付けて、優生学が復活しかねない。科学の技術化を礼賛するばかりでなく、それが実生活にどのような悪影響を与えるか、ジャーナリストとして想像し検証することを期待したい。

もう一つ科学の技術化でしっかり押さえておかねばならないことは、技術には「妥協」がつきものであり、100％安全な技術はあり得ないことを市民も知っておかねばならないということだ。ここで言う「妥協」とは、工期や予算や使い勝手の制約から、人工物を作るに当たってはある基準を満たしておりさえすればそれでよしとする慣行のことである。これを「割り切り」と言った人がいたが、余分と思われる部分を割り切って端折(はしょ)らねば技術は履行できないのである。たとえば、原発には基準地震動というものが想定されていて、それ以上の強い地震はないとして設計・施工されている。その大きさを無限にすればいかなる地震にも耐えられるが、それは不可能だから便宜上有限の大きさの基準を定め、それをクリアすれば合格としているに過ぎない。だから、それが妥当であるかどうかについては常に点検する必要がある以上のようなことから、それぞれ採用される技術に対し、どこで妥協して（割り切って）いるかを常に市民に知らせ、そしてその妥協点が妥当であるか、年月が経っても満たされているかを伝えることが大事である。私たちは実にさまざまな技術に取り巻かれており、その各々に基準値が想定されている。その意味では、私たちは怖い世の中に生きていることを実感する必要があると思う。それは技術の限界を知っておくという意味で大事なことだ。

(d) 科学の商業化

前述の科学の技術化と関係があるが、特許の取得やベンチャーの設立など、科学の商業主義的利用を促進するよう科学の内実が変化し、それが科学研究の現場を歪めている実態がある。それを科学の商業化として掘り下げて提示する必要性を感じている。「企業化する科学研究の検証」と言ってもよいかもしれない。

今後の再生医療の切り札とされるES細胞やiPS細胞の研究では、学術研究論文が出される一年前には特許申請を出すのが当り前となっているが、医療・薬剤・遺伝子・分子生物学など、生命科学や医学に関連する分野では研究内容の公表以前にまず特許を取得するのが通例である。大学や公的研究所などの非営利機関が特許を申請するのは、企業に先に押さえられると自由な研究ができなくなるため、とされている。事実、かつて遺伝子や生物由来の化学物質が特許になり（これらは人工物の作成ではないので本来の特許にはなりにくいものであったのだが）、それを研究するには高価な特許料を払わなければならなかった。その轍を踏むまいと、営利を目的としないアカデミアであっても特許を取得しておくということになったのは止むを得ないとは言える。

しかしながら、それだけで終わらなくなってしまった。大学発のベンチャーを作り、それを基点にして本格的に企業活動を展開してゆくのが新しいビジネスモデルとされるようになっているからだ。実際アメリカではそのような新生企業が出現し急成長している。それに味を占め、大学が持つノウハウをもっと産業化せよという圧力が強くなるとともに、大学自身が商業主義にどっぷりと浸かるようになっている。大学が特許を押さえるのは、必ずしも今述べた研究の自由だけでなく、将来の起業を視野に入れてあらゆる側面の特許が確実になるまでは、学術論文は控えるということになりつつあるのだ。また、たとえ論文として発表しても、簡単には追試できない（再現できない）よう、十分な情報を提供しないようにしている。これでは、論文は単なる発見（発明）の宣言であって、科学的議論の場とはならなくなってしまう。科学の商業化によって科学情報の自由な交換が妨げられる事態が生じているのである。科学が実りある発展をしていくために、このような実態を抉り出す必要があるのではないだろうか。

科学の商業主義的利用は、当然科学者の研究姿勢に影響を与える。例えば最近では、分野を問わず科学者が自らの成果を語るとき、「特に、××に役に立つ」と強調する習慣が身についてしまった。研究費の申請にも「何の役に立つか」を記載することが求められることも多い。役に立たねば意味がないかのようである。現実には、自分が行っている基礎研究から役に立ち商業化できるまでには大きなギャップがあって、それを乗り越えるのはそう簡単ではない。そのことを知りながら大風呂敷を広げねばならなくなっているのである。それが当たり前になると、不十分な研究のまま発表したり商業化を急いだりする誘惑に負けることになる。研究ポストの不安定さもあって、学会の評価を早く得たいと焦って誇大宣伝が当たり前になるからだ。

特に、生命科学や医学の分野では、商業化への距離が比較的短いだけに研究資金が豊富に投下されていて競争が非常に激しい。ＳＴＡＰ細胞騒動には、これらの要素も作用していたと考えられる。さらに製薬分野となると商業化と非常に近く、企業と研究者が結託して不正行為が起こりやすい。医学者と薬品会社の癒着ぶりはさんざんに報道されているが一向に変わる気配はない。そこをもう一歩踏み込んで、科学の商業化の弊害を広く知らせるよう努めねばならないのではないだろうか。

以上のように、二十世紀初頭から百年余り経ち、科学がなお大きく変容していることを調査・検証し、今後の科学のありようについて具体的な提言をするのが、現代のジャーナリストの重要な役割であると考えている。

期待3：科学が信頼を失った理由の解明

二〇一二年度の「科学技術白書」のアンケート調査によれば、科学者への信頼度や科学の専門家に任せることへの安心感が大きく低下した。3・11の大震災と原発事故を目の当たりにして、科学者がこれほど頼りない存在であったのかと実感し、科学者には任せておけないという気になったのだろうと推測できる。なぜなら地震の予測や原発事故に対して、自らの力不足を反省して責任を取る科学者が誰一人として現れなかったからだ。しかし、それだけであろうか。その理由をじっくり分析し、科学者はどうあるべきかを考える必要があるのではないか。

実際に原発が過酷事故を起こしたとき、連日原発の専門家がテレビに出たが、彼らの予想がことごとく外れ、対策も後手ばかりを踏んでいて、こんな頼りない連中に原発を任せていたのだろうかと呆れ、いっぺんに信頼を失った人も多くいただろう。また、放射線防護の専門家たちも、人々を安心させるようにしか言わず、いかにも素人相手と見做して上から目線で語りかけていることにも不快感を持ち、信頼感が薄れたと言う人も多かった。これらの専門家は、たとえ事実ではなくても、一般の市民を安心させるように語るのが正しいと思い込んでいて、それが人々に見透かされたのである。科学コミュニケーションの大事さが言われているにもかかわらず、科学をいかに伝えるかを科学者自身が知らなかったのだ。それは日常において、科学の長所ばかりを語るのに慣れてしまい、科学の限界や欠点を知りつつも語ってこなかったことを物語っている。科学がいかに頼りないものか、ひいては科学を使いこなすのにいかに慎重であるべきか、それらを正直に語ることこそが科学者の社会的責任と言える。その点をジャーナリストはもっと追及すべきなのである。

もう七十年も前にオルテガ・イ・ガセットが「科学主義の野蛮性」と呼んだように、科学者は自分の専門以外のことには興味を示さず、その結果自分の専門以外のことには全く無知であるにもかかわらず、あたかもすべてを知っているかのように振る舞う野蛮な人間になっている。この野蛮性を市民が認識するよう、広く伝えるべきではないだろうか。それはたとえば、被爆者、水俣病、原発の作業員の労務災害の認定において、いくつもの病理的症状が揃わねば認定しないという傲慢さとしても現れている。人間は複雑系であり、機械のように均一に反応をするとは限らないのである。ところが、専門家たちは自分たちが知っている世界のみが唯一であり、それ以外は切り捨ててしまう。科学者はもっと謙虚にならねばならないことを、どうにかして伝えられないものだろうか。

原発事故を引き起こし多大な被害を与えたにもかかわらず誰も責任が問われないままであることも含め、科学主義の野蛮性は至るところに見受けられる。そのことをもっと鋭く衝いていかない限り、このような事件は繰り返し起こるだろう。閣議決定された「エネルギー基本計画」には、「万が一原発が事故を起こした場合には政府が責任をとる」と書かれている。それは単なる賠償責任だけであって、人体や土地に多大な被害を与えて生業を失わせてしまう人々への責任については考慮の外である。科学・技術に関わる問題での責任の取り方をしっかり問い詰める、というのはジャーナリストの役割ではないだろうか。

科学が信頼を失っているのなら、なぜか、どうすれば回復するか、科学者に何を求めるか、市民は何を望んでいるかなど、深く掘り下げた分析を期待したいものである。

期待4：トランスサイエンス問題へのアプローチ

最後に、「科学には関係があるけれど、科学だけでは解決できない問題」であるトランスサイエンス問題に対して、どのような問題があるか、各々の問題に対していかなる論理で考えるのがよいか、社会のシステムとして何が必要か、などを考え提案する報道を期待している。

実際にトランスサイエンス問題として挙げられる典型的な問題として、以下のようなものがある。

① **複雑系に関わって直ちに科学的な解答が得られない問題**：微量放射線被曝、地球温暖化、地震予知などで、現時点においては明確な科学知が得られないけれど、何らかの対策を取らねばならない問題群

② **荒れる共有地に関して、そのままの利用形態では悲劇になってしまう問題**：海洋での漁獲、大気中の二酸化炭素量、宇宙空間のデブリなど、無制限に放置すれば地球という共有地は荒

れてしまうから、何らかの協定を結んで互いに制限するしかない問題群

③ **技術の妥協（割り切り）における基準の設定問題**：原子力規制委員会の基準、放射線被曝基準容量、水・空気・音・照明など、諸々の技術的施工基準を定めるにおいて、現在技術のレベル、予想される被害確率、必要な費用、企業と市民の要望など、多くの要素を考え合わさねばならない問題群

④ **反倫理性を秘めている科学・技術に関わる問題**：原爆、原発、核燃料サイクル、人体実験、毒ガス、ダイオキシンなど、反倫理性が高いのだが、それを擁護する理由と兼ね合わせて採否を決定しなければならない問題群

これらの問題に対して、科学は参照事項としては重要な情報を提供するが、具体的にどのような方針を採用するかに関しては、科学よりも哲学や倫理や思想や社会的状況というような側面からの考察や議論が必要であることは明らかである。また、答えが一つとは限らず、また誰もが一致するということもないけれど、何らかの選択をすることが迫られることも確かである。むろん、そのまま無責任に何も決めずに先送りする場合もあるかもしれない。それらの全体のプロセスを点検し、現代および未来に責任を持つ人間として、私たちの生き様を可視化する（客観視する）ことが必要なのではないだろうか。

私はトランスサイエンス問題を考える論理として、未来世代に対する倫理（通時的思考の回

復）、予防措置原則（疑わしきは罰する）、弱者・少数者・被害者の視点の重視（功利主義とは対極的な論点）、新しいコスト・ベネフィット論（金銭には換算できない長期的なコストやベネフィットの考察）などを考えている。それらも含めて、幅広い観点からトランスサイエンス問題にアプローチする材料を提供してもらいたいと思っている。これこそ総合的な視点で議論が可能なジャーナリズムに相応しい課題ではないだろうか。

（朝日新聞社「Journalism」14年8月号）

科学者の倫理と役割

科学者という存在

現在の私たちにとって科学者という存在は当たり前なのだが、科学者が職業人として社会的な認知を得たのは十九世紀半ばであり、それまでは「自然哲学者」と呼ばれるのが普通であった。神が書いた「もう一冊の本である自然」を研究することによって、隠された神の意図を読み解こうとしたのである。自然哲学者は科学の営みのみによって生活ができたわけではなく、生家が資産家であるとか、王侯や領主に雇用されるとか、別の生業を持ち、科学は副業であるなどというふうに、限られた条件下でしか研究に専念できなかった。その意味で科学研究は、余暇に新種の動物や植物を蒐集(しゅうしゅう)し、珍しい鉱物や貝殻を集めるのと同じく、ほとんど趣味的な活動であった。

このように科学の出自は趣味の世界と共通しており、現在においても、科学者の心中を特徴づける本質は趣味と同じではないかと思っている。つまり科学者とは、自然が示すさまざまな振る舞いや多様な在り様の理由に興味を持ち、とりわけ見えないところで何が起こっているかを明らかにすることに熱中したい人間なのである。趣味と決定的に異なるのは、科学研究に必要な資金（生活費も含めて）は、主として税金を原資とする国家からの公的資金が使われていることであり、そのことを納税者も必要経費として納得している。つまり、科学研究は社会において必要不可欠な公的任務との認識を市民たちは共有しており、その活動を科学者に委託しているのである。その代償として、市民は科学者に比較的高い自由度を与え、その成果や提言は信頼できるものとして受け入れる、という関係になっている。つまり、科学者は市民社会との暗黙の相互契約の中でその存在が保証されているのだ。

そのような観点から、科学哲学者のマートンは、科学者や科学者集団が持つべき精神的規範CUDOSを提案した。

C：公有性、公益性 communalism： 科学の知識は公共財であり、公有されることによって科学は累積的に発展する。

U：普遍主義 universalism： 科学者の国籍・人種・性別・宗教・信条・階級など個人的特性とは関係なく普遍的である。

D：利害の超越、公平性、無私性 disinterestedness： 私的利得や損得の感情が介入すべきではなく、不偏不党であり、合理的かつ客観的である。

OS：組織化された懐疑主義 organized skepticism： 他人の発表を鵜呑みにせず、結果が明示的に確定するまで自らの判断を保留して安易に妥協しない。

以上のように、公益性、無私性、公平性、公正性、客観性、普遍性、合理性、自律性など、倫理に関わる言葉がずらっと並び「古典的規範」と呼ばれるが、今でも科学者が依って立つ原点はここにあり、科学倫理の基底を成すと私は考えている。そして、科学研究で得られた成果や知見は人類全体が共有し、文化として人々の精神的潤いの源泉となることが求められており、これらこそが科学者の役割である。そんな思いは少なくとも科学を志した時には誰もが持つ初心ではないだろうか。

科学規範の変容

ところが、右に述べた科学・科学者の古典的規範は時代遅れになっていると誰もが思うようになっているのも事実である。科学は文化のための行為としてではなく、生産や経済活動と直結させ、さらには安全保障や国家の存続のための手段として活用することが強調されるようになり、そのような目的に合致する分野にもっぱら研究資金が投入される状況に変化しているからだ。あたかも社会のために役立つ科学であらねば存在価値がないかのようである。そのような社会からの科学への要求は、科学者の精神的規範を大きく変容させることになった。

科学哲学者のザイマンは、現代の特性を考慮した新たな科学者・科学者集団の規範はＰＬＡＣＥとなったと述べている。

P：所有的 proprietary： 成果の私物化・独占化によって、知的財産として利益を得ることが目的となっている。

L：局所的 local： 専門化・細分化の徹底による真理の適用範囲の狭隘化が進み、獲得された知識は全体に適用できない。

A：権威主義的 authoritarian： 権威を笠に着て、あるいは権威に従属することで、真理が二の次になる。

C：請負的・被委託性 commissioned： もっぱら政府・資本家・権力者・軍など資金提供者に委託される仕事が多くを占める。

E：専門的仕事 expert work： 御用学者の如く、知識を独占して万能の専門家であるかのように傲慢に振る舞う。

現代のような産業化社会・企業化社会においては、科学もまた利益を生み出す商品の一種であり、科学者はこれと独立して自由に研究に熱中できる存在ではなくなった。科学は商品取引の対象となることが求められているというわけである。マートンのCUDOSと対比してみれば、ザイマンは、誰でも・何処でも参加できる科学ではなくなり、研究資金の提供者であるスポンサーのみに目が行き、その要請や注文に応じる科学になっている、というのだ。

このような状況から科学の変質・科学の危機の時代と呼ばれることになる（金森修『科学の危

機』集英社新書、二〇一五年）。私はこの指摘に同意しつつ、この傾向は世界全体に共通するが、特に日本において顕著ではないかと考えている。具体的に科学の現場で生じている危機的状況の日本的特徴を思いつくまま列挙すると、以下のようになるのではないか。

- **科学者意識の変質**：競争原理・業績主義の徹底による科学者の孤立状態の深化。
- **科学政策による国家の介入**：科学技術基本計画を通じての官僚による科学の査定。
- **経済論理の強調**：特許・イノベーション・競争的資金・利益優先等、役に立つことが第一。
- **科学・技術至上主義**：目的が何であろうと科学や技術が発達しさえすればよいとの意識。
- **科学者の不正行為・不誠意行為**：捏造・偽造・盗作、権威主義的で無責任な専門家。
- **オープンアクセス**：使い捨て科学・疑似科学の横行、不正確で無責任な出版の隆盛。

それらの結果として、科学の質の著しい低下となっていることを、（科学技術政策の元凶である総合科学技術・イノベーション会議が提示する）科学技術基本計画ですら指摘している。

このような状況をもたらした原因は、ひとえに商業主義に傾いた科学技術政策によって、科学の環境そのものが真理追究の場から経済に貢献する場へと変容したことにある。「科学技術基本法」が改訂されて「科学技術イノベーション基本法」（二〇二〇年）となったように、科学技術は産業活性化のためのイノベーションとセットになっていることを見れば明らかだろう。

同時に、科学者そのものの意識の変化、つまり「何のための科学か」という研究目的や科学者の役割に対する初心を省みる心の余裕を失いつつあるのではないか。

軍事研究の問題点

その一例として、防衛装備庁が「防衛装備品の開発に資する」ためと称して募集している、科学者を軍事開発に誘い込む委託研究制度を取り上げよう。この制度に対し、特に若手研究者層において歓迎する意向が強い。その最大の理由は研究費の不足を補うためなのだが、さらに装備庁の募集が民生技術についての基礎研究と称しており、成果の公開は自由、秘密にはならない、研究には干渉しない、と公言しているから問題はないと言う。そのように防衛装備庁が言うのは、公開・秘密・干渉について懸念を持つ科学者を安心させるためであり、おそらくこの制度が定着するまでは厭でも続けるだろうことが予測できる。しかし、この制度が多くの科学者に受け入れられたと判断すれば、成果の公開を制限し、秘密研究になり、装備庁職員からの研究への口出しが増えるようになるだろうことは目に見えている。軍事機密が当然とされる「防衛装備品の開発に資する」のが本来の目的であるからだ。そのときになって危険性に気づいても手遅れである。そもそも防衛装備庁が民生技術の開発のために資金を提供するはずがなく、見かけ上、研究の自由を保証するのには隠れた意図があるはず、と疑わねばならない。物事を合理的に考えるなら、そう推測するのが当然だろう。

そのような発想にならないのは、装備庁が提供してくれる研究資金に目を奪われ、かつ自分だけは装備庁の言いなりにはならないと思っているためと考えられる。しかし、研究資金の魔力は大きい。この制度ではせいぜい三年間しか資金は保証されないから、いったん受け入れると研究を継続させようと焦って、装備庁に迎合する提案を繰り返すようになり、軍事研究をもっぱら行う御用科学者となっていくからだ。一時しのぎの研究費稼ぎのつもりであったのが、結局装備庁に隷属することになる。麻薬と同じなのだ。

科学の成果は、「野蛮」にも「文明」のためにも使うことが可能である。「野蛮」とは戦争・軍事力・軍事開発のこと、「文明」とは非戦・文化の力・民生開発のことであり、人類の歴史は「野蛮」と「文明」の相克史であったと言える。さまざまな悪魔の兵器が開発されて「野蛮」が大手を振ってきたのは事実だが、他方ではそのような兵器の禁止条約も次々に結ばれてきた。「文明」が軍事国家の手を縛ってきたからだ。核兵器禁止条約は、まさに「野蛮」と「文明」の凌ぎ合いの結果、批准国が多数派になって発効した。人類の知の力は捨てたものではないのである。

自分の科学の行為が「野蛮」のためなのか、「文明」のためなのかを常に反芻(はんすう)するなかで、いかなる理由があれ「野蛮」に手を貸さない、それこそが恐ろしい武器を開発する力を有する科学者の責任ではないだろうか。

市民からの信頼を背に受けて

科学者は市民から文化の創造を委託されている存在であるからこそ、市民との間の相互信頼を培い強める科学者でありたいものである。私はかつて科学者の役割を「社会のカナリア」に譬えたことがあるが、社会が科学の間違った適用によって「野蛮」の道を歩みそうなとき、前もって社会に警告を与えるカナリアのような役割をこそ、科学者に求めたいからだ。そのような役割を全うするため、科学者には社会の動向を注視し、ＣＵＤＯＳの精神に基づいた行動を取ることが求められているのではないだろうか。

そんなことをしていては厳しい競争に負けてしまう、ひたすら科学のことのみを考えていたい、と思うかもしれない。しかし、科学を取り巻く状況をじっくり考えてみよう。科学者は研究至上主義になってひたすら業績を重ねることに熱心だが、科学者の役割としてもう一つ、子どもたちや次世代の若者を教育するという役割があることを忘れてはいないだろうか。物事の本質を考え、見えないところで何が起こっているかを推理する能力、つまり科学的精神と科学する方法を伝えていく役割である。科学の目で自然現象を見直せば、次々と疑問は拡大して不思議が増していく、そんな体験を子どもたちと共有する、科学的な手法は、社会の事象にまで適用できると若者たちに実感させる、そんな試みに挑戦してはいかがだろうか。

研究設備に莫大な金をかけ、集団化した研究となって（極端には何千人もの研究者が論文に名を連ねている）、科学者としての自分はほんの一部にしか関与していない、そんな現在の第一線の科学は本当に市民が求めているものなのだろうか。少なくとも、市民が親しみ、気楽に参加する科学でなくなっているのは確かだろう。私が提案したいのは、このような業績至上主義の科学と対極的な、誰もが参加でき、余りお金をかけず、日常の出来事を題材にする、そんな科学の新しい在り様である。私はこれを「等身大の科学」と呼んでいるのだが、それこそが市民の信頼を背に受けた「私たちの科学」になるのではないだろうか。

（世界思想社「世界思想」20年春47号）

新知見と科学者・技術者の社会的責任

私は、新潟県が二〇一八年に組織した福島原発事故検証委員会（技術委員会・避難委員会・生活と健康委員会の三委員会で構成）の総括を行う検証総括委員会委員長に指名され、各委員会の検証作業を見守りつつ、全体の総括をいかに行うかについて頭を悩ませている。その立場から、原発の安全性に関わる「新知見」が、安全性の評価にどうかかわっているかについて、執筆を依頼された。しかし、ここでは総括委員長としてではなく、日本学術会議で進行している原子力利用の安全性に関わる「新知見」の評価についての私見を述べることにしたい。

「想定外」から

原子力利用に関しての日本学術会議の議論では、工学研究者が中心となって福島事故についての技術的側面が多く議論されてきた。そこでは、「安全神話」に捉われていた政府や発電事業者のみならず原子力の研究者や技術者までもが、福島第一発電所で生じた原発の過酷事故が現実に起こるとは考えておらず、事故を目の当たりにして「想定外のことが生じた」と表現した。津波が防潮堤を乗り越えて来るとは全くの「想定外」の出来事であり、さらに外部電源が遮断され、補助電源が機能せず、冷却水の注入が不可能となる事態もまた完全な「想定外」であった。政府や国民だけが原発の「安全神話」に捉われていたわけではなく、原発に関わる科学者・技術者も大いに安全神話の虜になっていたのである。

そして、それに対する弁解・言い訳・強弁は予期せぬ出来事、つまり「想定外」の事象の連鎖であるが故に不可抗力であったということに終始した。私はそれを聞きながら、いかにも傲慢なのではないかと思ったものである。本来人間は、未来すべての状況を想定することは不可能であり、「想定外」は当たり前のことである。だからこそ、専門家である科学者・技術者はいっそう想定の範囲を広げて、安易に「想定外」と言えない状況へ自らを追い込む必要がある。だからこそ科学者・技術者は手軽に「想定外」と言ってはならず、なぜ自分たちが想定した状況から外れてしまったかを厳しく問い詰めねばならない。果たして自分たちが設定した枠組みが正しかったのか、技術を甘く見てその枠組みから外れる要素を無視していなかったか、これらをじっくり検証する態度が不可欠であり、安易に「想定外」として失敗を糊塗してはならないと思うのだ。

「新知見」へ

ところが最近、「想定外」に代わって「新知見」と言われるようになった。二〇一九年五月に公表された原子力安全に関する分科会報告[*1]において、「福島事故における津波対策に焦点を当てて分析・検討した結果、自然現象（津波）への対応において『新知見への取り組み』が不十分であったとの結論を得た」とある。端的に言えば、「外的に誘引された不確定度が大きい事故要因への対応（つまり津波評価）」を新知見と呼んでいるようである。再び私は、この分科会報告を読んで疑問を持たざるを得なかった。「新知見」と称するものが、どこまで「想定外」と異なるのかを明らかにしていないからだ。だから、「新知見への取り組み」が不十分であったと反省すると言われても、通り一遍の反省はできるが、採るべき根本的な解決策を提起することができないだろう。実際に、報告書には「何が不足していたのか、未だに明確な結論が出されていない」とある。

穿（うが）って言えば、「想定外」と言えば専門家の想定の甘さを突かれて返答のしようがないが、「新知見」と言えば考えも及ばなかった全く新たな知見が必要であったのだから、科学者・技術者に責を求めるのは過酷であるということになる。「想定外」を「新知見」に言い換えることは、原子力の専門家の心の重荷を軽減させるレトリックと取らざるを得ない。後に述べるように、そこには「技術の発展こそ第一」とする、先端技術に関わる技術者に共通する、思想の盲点のようなものがあるのではないかと思うのだ。

新知見とは何だろうか

福島事故に関しての「新知見」とは、専ら地震に伴って生じる津波の規模と威力についての知識のことであり、それは原子力の専門家にとって考えの及ばざる事象であったのは事実であろう。しかし、それを「新知見」として一般化し、誰もが知り得なかった自然現象だとしてよいのだろうか？　そもそも「新知見」とは何なのかを考えてみる必要がある。ちょうど九月十日に、日本学術会議公開シンポジウム「新知見の扱いとその活用」が開催[*2]されたので拝聴したのだが、「新知見」という言葉の一般論の議論になってしまって、実際の福島の原発事故に関わって原子力利用の問題点そのものを根本的に洗いなおす議論が後景になってしまったことを遺憾に思っている。

このシンポジウムでは、「新知見」が何を意味するかについて

①これまでになかった新現象が出現した場合（例、地球温暖化）
②自然界の法則を初めて見つけた場合（例えば新たに発見された現象）
③千年に一回の事象の場合（例、貞観以来の大津波）
④あるグループでは常識だが別のグループでは未知の事象である場合

＊1　日本学術会議総合工学委員会原子力安全に関する分科会報告「我が国の原子力発電所の津波対策――東京電力福島第一発電所事故前の津波対策から得られた課題」（二〇一九年五月二十一日）
＊2　日本学術会議公開シンポジウム「新知見の扱いとその活用」（二〇二〇年九月十日）

と四つに整理されていた。いずれも当事者にとっては、旧知見にしがみついていてはわからない新たな知見である。だから、研究者・技術者集団での相互研鑽によって、新知見を学び、積み重ね、見直していくことが不可欠、という論理立てになる。

しかしながら、それは原発の安全性をいかなる想定の下で担保するかの日常の研究活動に必須のことであるから、あえて「新知見」と言う必要はない。事実、津波の評価について「新知見」と言われているが、大津波の襲来はそれ以前に警告されていたのだから、それを取り入れて現場で生かす敏感な感性を欠いていたに過ぎない。

「失敗学」を考える

工学では「失敗学」と呼ぶ、技術の行使において生じた失敗（事故）を、当事者たちの責任を追及するのではなく、技術的合理性からの逸脱がどこで生じたかの原因を明らかにし、それを次のステップの技術的改良・改造に活かす、という実践手法がある。生じた失敗の解析を通じて技術の本質を理解することが技術の発展には重要、との考えで、日常の技術については推奨されるべき手法と言える。

とはいえ、いかなる技術に対しても「失敗学」が適用できるのだろうか。つまり、「失敗学」はその技術の存続は自明とされ、改良を重ねてより良いものにしていくことは善だとの立場を前提としている。むろん、その技術を行使している人にとっては、技術そのものを否定せず、失敗があっても救済する方向を示してくれるから「失敗学」は重宝である。大事故を引き起こしても、その原因を追究して解決策を示せば技術をより洗練させることにつながるから、「失敗学」の適用は歓迎されることになる。

しかし、こと原発のように、巨大すぎて「失敗学」では捉えきれない技術もあるのではないだろうか。その理由の一つは、「失敗学」が有効であるのは「部分の和＝全体」という技術システム、つまり要素技術の集合体で、各要素に関わる失敗要因を分離して解析することが可能な場合である。いわゆる「複雑系」のような多重の要因が絡みあうような技術では、技術をより洗練させる解決策には到達できないのではないか。

もう一つの理由は、「失敗学」においては失敗を招く要因のトップに「未知」がおかれ、「未知」が原因であっても何らかの手段でカバーできる場合にのみ「失敗学」が適用できるという点である。無知は学習で解決できるが「未知」は学習できず、「未知」の領域があると予想されれば実験を繰り返して「未知」を既知にするしかなく、その間は独立した技術とは見做せないはずである。当然、「失敗学」の対象にならないのである。原発の安全性に関する「新知見」の存在は、まさに「失敗学」が掲げる要因の「未知」に当たり、「未知」をカバーする万全の技術が開発できるまで、あるいは実験を積み重ねて「未知」を既知とできるまで、「失敗学」が相手をすべき技術ではないと言うべきなのではないか。

さらに私は、原発が「失敗学」の対象となることについて、大きな違和感を持っている。原発は、一度失敗したら取り返しのつかない大きな災厄を人々にもたらす、そんな技術を「失敗学」として捉えて改良に励むのは正しいのか、という問題があるからだ。原発事故がもたらした災厄は、何十年も積み重ねてきた生業を奪って立ち行かなくさせ、死ぬまで放射線被ばくの恐怖におののく人々を作りだし、故郷を奪われて全国に避難せざるを得ない人々を多数生み出した。そのような、簡単には回復できない災厄をもたらした技術は、改良の対象ではなく、廃棄すべきものではないかと思う。いくら改良してもまた失敗を繰り返し、甚大な災厄をもたらす可能性があるからだ。「失敗学」はすべての技術に適用できるのか、適用すべきではない技術もあるのではないか、そんな疑問を抱いている。

科学者・技術者の社会的責任

最後に、原子力利用の安全性に関する「新知見」の評価に遭遇した状況における科学者・技術者の社会的責任について、少々付け加えておきたい。

第一は、「新知見」と呼んでいる概念の内容をもっと明確にしなければならない。原発の安全性を阻害する要因に対して、「想定外」と「新知見」がどう異なっており、それへの私たちの対応がどう異なるのかをはっきりさせる必要がある。科学者・技術者として、個々の問題に対してどのような責任を持って対応しようとしているのかを明確に示さねばならないからだ。それは科学者・技術者が遵守すべき最低の義務であり、それが全うされていることが確認されて初めて、私たちは健全な科学・技術社会を生きることができるのである。

第二に、科学者・技術者は自分の技術的営為が社会に何をもたらすかについての考察と、現実にどうであるかを検証する態度が不可欠である。特に、「新知見」と言うからには、新たに見出される知見には大きな不確定度が含まれているはずであり、それをいかに考え、安全のための技術的措置に活かしているかを点検すべきである。まだ形にならない段階であるなら、綿密な実験を積み重ねることを求め、安易に社会に持ち出してはならない。技術は人間に使われて初めてその真価を発揮するのだが、生身の人間を実験台にすることは許されない。社会に活かそうと焦るあまり、不完全な技術を野放しにしてはならないのだ。

原発は社会的な必要性が強調されるが故に、技術的不十分さが二の次になりがちである。使用済み核燃料の最終的処分が決まらないまま放射性廃棄物は累積する一方であり、それは次世代の人間の負の遺産となっている。このような原発が持つ重大な困難を知りつつ、なお技術開発に邁進するのかを、胸に手を当ててしみじみと考えてみるということも、その社会的責任を問い直す第一歩になるのではないだろうか。


（日本学術協力財団「学術の動向」20年12月号）

事故原子炉の廃炉にかける時間

イギリスのセラフィールドにあるウインズケール原子炉一号基が、国際原子力事象評価尺度（INES）でスリーマイル島原発の炉心溶融事故と同じレベル5の燃料溶融事故を起こし、放射能を放出して閉鎖されたのは一九五七年のことであった。直接の死亡者は出なかったのだが、周辺の牧場へ放射性物質を大量に放出し、海の放射能汚染をも引き起こした。事故が原因のガンで十二人が亡くなったとか、子どもの白血病が平均の九倍にも増加したという報告もあるが、公式には認められていない。福島の場合もそうだが、放射線被曝による疾病の直接的証明が困難であるとすれば、「疑わしきは罰する」という原則で対処すべきだと思う。「原因が不明である」ということは、放射線が「原因ではない」ことを意味するわけではないからだ。

この事故を起こした原子炉は、日本が最初に導入したコールダーホール型と同型で、原爆用のプルトニウムを生産するためであった。そのため発電する部分がないが、放射能を大量に作り出す原子炉部分は通常の原発と本質的に同じである。

一九五〇年に運転を開始してプルトニウム生産を行っていたのだが、一九五七年頃から水爆用の三重水素を作るために、リチウムに強い中性子を照射する原子炉に転用された。それが躓（つまず）きの素であった。強い中性子束を浴びたためウラン燃料が高温になり発火して、燃料棒が破壊され、火災となって激しく燃え上がったのである。そのため煙突を通して大量の放射性物質が放出され、西風に乗ってヨーロッパ大陸に広く拡散した。チェルノブイリ原発事故ほどの深刻な放射能汚染ではなかったのだが、大量のストロンチウムやセシウムの汚染を引き起こしたことは確かである。

二基の原子炉があるセラフィールドでは、その後も再処理工場・MOX（ウラン・プルトニウム混合酸化物）燃料製造工場など、多くの原子力関連施設が稼働していたのだが、二〇〇三年になって施設の老朽化を理由に閉鎖された。原子炉建屋には核燃料が残っていて高い放射線強度を示しているので、まだ解体の方法や時期は決まっていない。そして、廃炉作業終了は現在から百年後の二一二〇年としており、事故発生時から廃炉完了まで一六三年という長い期間を想定し、その間の予算は英国会計検査院がチェックすることになっている。

それと比べると、二〇一一年にメルトダウンし、ＩＮＥＳの評価で最悪のレベル7とされた福島第一原発の1号機から3号機の廃炉を、事故から四十年後の二〇五一年までに終えるとしている東電の予定をどう考えればいいのだろうか。セラフィールドに比べて原子炉の状態が格段に悪いのは確かなのに、そんなに短期間で廃炉作業が完了するとはとても考えられない。

イギリスでは廃炉に時間をかけ、その間の予算は国が検証するという体制を組んでいる。これに対し、日本では早々と解決できるかのような印象を与えつつ、解体時期を逐次先延ばしにしているように思える。また廃炉のための費用も莫大なものになると予想されるが、経産省も東電もそれを言わず、小出しにして乗り切ろうとしているかのようである。その場しのぎで困難は先送りにする、いかにも無責任極まる態度としか言いようがない。

百年かかってもいいから、まずしっかりした廃炉計画と資金計画を検討し、公表するべきではないだろうか。

（中日新聞 17年12月16日）

原子力施設廃止費用

二〇一七年四月に改訂された原子炉等規制法の改正によって、原子力施設の事業者に対し、二〇一八年末までに施設の廃止費用を算出することが義務付けられ、その大まかな見積額が出そろった。東海村再処理工場や核燃料加工施設、「もんじゅ」「ふげん」「常陽（じょうよう）」などの高速炉など、国の事業を担ってきた日本原子力研究開発機構が管轄する七十九施設の廃止費用の総計が一・九兆円、民間事業者十九社の商業用原子力関連の「廃止措置実施額」の見積額として六十九施設分四・八兆円、これに事故をおこした福島第一原発1〜4号機四施設の政府試算八兆円を加えると一二・八兆円になる。これには老朽化対策費や廃止までの管理費などは含まれておらず、さらには実際に施設の廃止・廃炉の作業に手を付けなければ計算できない部分が多く、以上の見積もりは願望値であることは確かである。つまり、公表された費用は国民に高いと思わせないため、最少値を計上していると見做さねばならない。

私がここで最初に言いたいことは、果たして本当に最後まで事業者が責任をもって後始末をするだろうか、ということである。原子力研究開発機構の施設は国からの出資金で建設・運営されてきたのだから、国が計画的に予算を組んで廃止を進めるはずで、何とかなるとは考えられる（甘いかもしれないが）。問題は、民間の電力関連会社（九つの電力会社に日本原子力発電、電源開発、日本原燃を含む）が、果たして最後まで、原発すべての廃炉や六ケ所村の再処理工場の廃止を責任もって進めるかどうかである。

廃止の期間は三十〜四十年とされているが、その期間で終了できるか確かでないのは明らかであろう。四十年（ないし六十年）使い続けて放射能で汚染された原子炉が、そのまま簡単に解体できるとはとても思われないし、そもそも非常に大量に搬出される放射性廃棄物の処分場が見つかるだろうか。

さらに、その費用をどのように賄うか、である。むろん、電力関連会社が負担すべきなのは明らかで、基金として積み立てているはずなのだが十分ではなく、結局消費者からの電気料金を当てにしている。つまり、消費者はもはや電力供給を受けなくなっても、廃炉コストはずっと引き受けなければならないことになる。国策として原発が推進されたのだから、国も負担を分担するのは当然としても、これも国民の税金だから、結局原発の始末は国民が背負わされることになってしまうのだ。

そもそも、どんな大企業であれ、数十年先まで会社が存続することなど誰にも保証できない。電力会社だって例外ではない。いつまでも現在の状況が続くものとして皮算用することは危険なのである。

日本で原発が本格的に始まったのは一九七〇年代で、二〇三〇年代には確実に終わるだろう。つまり私たちの世代だけである。にもかかわらず、私たちの子孫は廃炉と廃棄物処理に多大な負担を強いられる。原子力施設の廃止費用の見積もりを見て、私たちの世代の罪深さを思わざるを得ない。

そして考えねばならないことは、このまま電力の自由化と発送電の分離が進むと、原発に頼らず、もっぱら再生可能エネルギーを売る新電力が出現して、多くの顧客を集めるようになるだろう。そうなれば、原発にしがみついてきた電力会社は見捨てられ、倒産の憂き目を見ることになりかねない。何しろ廃炉費用が大きな負担になるので、電力料金は一向に安くならないからだ。そうなると経産省は、電力会社を救うため、再生可能エネルギーを販売する新電力にも廃炉費用を負担させるという無茶を押し通すに違いない。

そう考えると、電力会社と癒着した政府や経産省がある限り、日本では再生可能エネルギーが大きく普及する可能性は小さいと言わざるを得ない。原発に固執する電力会社に足を引っ張られるからだ。そして日本は、再生可能エネルギーに転換していく世界のエネルギー事情から遥かに後れてしまうことになる。政府・経産省の無策・無責任が何十年もの禍根を残すのである。

（中日新聞 19年1月12日）

廃炉工学科にはいろう！

国立大学に原発の開発を目的とする学科や大学院が新設されたのは一九六〇年代で、原子工学・原子力工学・原子核工学などの名前が付けられていた。原子力は未来のエネルギー源だと脚光を浴び、その名を冠して華々しく船出をしたのである。

しかし、一九七九年にスリーマイル島原発で炉心溶融事故が起こり、一九八六年にはチェルノブイリ原発の爆発事故で多大な被害を出したこともあって、原子力への魅力は薄れ、学生たちの人気が衰えてきた。そこで一九九三年に東大が、学科名から原子力を外して「システム量子工学」という意味不明な名前に改変した。これを皮切りに、数年のうちに他の大学も軒並み原子・原子力・原子核の名称を消し、「量子エネルギー工学」とか「物理工学」とか「エネルギー工学」とかに変更した。現実には原子力の研究・教育を行っていながら、不評の風潮に合わせて、表向きには原子力が見えないようにしたのである。

二〇〇〇年代に入って、原発が環境にやさしいとの宣伝がなされるようになって原子力ルネサンスが喧伝されたためか、今度は「機械知能工学」とか「環境・エネルギー工学」へと名称変更する大学も現れ、東大には「原子力国際専攻」という大学院が発足して、学生たちの人気も復活する状況になりつつあった。しかし、二〇一一年に福島で原発の過酷事故が起こったことで、状況は大きく変化した。原子力ムラの存在が暴かれ、脱原発の雰囲気が強くなり、もはや原発建設の活発化は期待できないことが誰の目にも明らかになってきたのだ。こうなると学生たちは原発には未来がないと見切って、原子力関連分野を敬遠するようになった。

とはいえ、原子力関係の部門を閉鎖するわけにはいかない。内部に膨大な放射能を抱える原発には、たとえ運転が終わっても、長時間かけて安全に廃炉にする作業が残されており、廃炉を滞りなく実行するための研究者や技術者を養成しなければならないからだ。

そこで私は、原発関係分野の学科や専攻科名にきちんと「廃炉工学」の名前をつけ、そのための人材養成に集中することを宣言すべきだと提案したい。原発を建設する時代は終わりを迎え、今や後始末をする時代に入っており、その仕事は原発を建設してきた専門家が果たすべき社会的責務でもある。廃炉には国や電力会社から確実な投資があるはずだから、そこで学んだ卒業生には数十年にわたり人材需要が多くあって、食いはぐれがないことは言うまでもない。「廃炉工学科」は前途洋々なのである。

ところが、この話を講演会などで話しても、なかなか多くの方々から同意が得られないのが実情である。その理由は「廃炉というような後始末のための学問にはあまり魅力がないから人気が出ないだろう」というものである。実際、これまでの常識では、工学分野は人工物を生産するための技術開発を行うことが主目的であり、それによって若者を惹きつけてきた。そのため廃棄物処理とか安全装置の開発というような、地味で金儲けと結びつかない分野は後回しになったり先送りにされたりしがちであった。公害問題を引き起こして大損したり、地球環境問題がやかましく言われるようになって、企業も漸くこれらの分野に手を付けるようになったのである。工学という学問の任務について、私たちの意識も変えねばならないのだ。

「廃炉工学科」が人類存続のために不可欠な分野であることは確かである。国や大学に設置を働きかける運動を起こしませんか？「廃炉工学科にはいろう！」と。

（中日新聞 17年8月26日）

核兵器禁止条約の発効を歓迎する

二〇一七年七月の国連総会で可決された核兵器禁止条約（核禁条約）が、五十ヵ国の批准を得て二〇二一年一月二十二日に発効することになった。条約が可決されてから三年六カ月余りかかったことになり、時間がかかったと言うべきか、核戦争の勃発を恐れる国々の後押しで比較的早く発効することになったのか、さてどちらだろうか。いずれにしろ、核兵器の廃絶に向けた第一歩を踏み出せて目出たいことは確かである。

この核禁条約は、核兵器の開発・実験・生産・保有・使用を禁止することは当然として、さらに核での威嚇をも禁じたことに大きな意味がある。アメリカが核兵器をちらつかせてイランを脅迫するとか、北朝鮮が核兵器を背景にして日本を脅すというようなことを糾弾できるのである。もっとも、アメリカも北朝鮮も、この条約を批准していないので、条約の規定に縛られないのだが……。

事実、核禁条約を批准したのは小国ばかりで、核兵器保有国であるアメリカ、ロシア、イギリス、フランス、中国、イスラエル、インド、パキスタン、北朝鮮の諸国、及びこれらの国との軍事同盟国（ドイツやイタリアなどのＮＡＴＯ諸国や韓国・日本などアメリカの「核の傘」に依存する国など）は署名すらせず、この条約を守る義務はない。詳しく分類すると、これらの条約に反対または棄権した国、条約に賛成して署名したが批准していない国、批准した国、の三種類に分けられ、批准国だけが規定を守る義務がある。

これらの国々を世界地図に図示すると、北のいわゆる大国・先進国のほとんどはそっぽを向いている。賛成の先進国はオーストリア・アイルランド・メキシコ・ニュージーランドくらい。さらに比較的に大国と言えるのは南アフリカ・ベトナム・タイくらいでしかなく、後は非同盟の小国（フィジー、ツバル、ナウル、ベリーズ、マルタなど）ばかりである。つまり、核情勢に大きな影響を与える大国・先進国は核禁条約に反対または棄権し、賛成しているのは弱小国がほとんどだ。これでは核禁条約は意味がないのではないと思われるかもしれない。しかし、そうなのだろうか？

実際のところは、核兵器に依存する国でさえ「核兵器は悪」と認めている。とはいえ「核兵器があるから世界戦争が起こっていない、だから必要悪で仕方がない」とも言っている。つまり、核兵器は人類を絶滅しかねない危険な兵器であることは重々知っているけれど、戦争が起こらないよう核が抑え止めているのだから（これを「核抑止論」と言う）核を放棄するわけにはいかない、というわけだ。それだけに、核に固執する立場にも弱点があり、しゃにむに核の有効性を強調したり、他国に押し付けたりするような行為には出られない状況が生まれている。実際、核兵器保有国がこれ以上増える（核が拡散する）と、本当に危険な状況に追い込まれると知っているからだ。であるからこそ、ＮＰＴ（核拡散防止条約）では核保有国を第二次世界大戦の五つの戦勝国に限っているのである。しかし、今や九ヵ国にまで核は拡散しており、先進五ヵ国はこの状態を危険視しているのである。

そのような核兵器を容認する国々を、今後、核禁条約を批准した国々が常に批判し、時には核保有を理由に、国際的なイベント（例えばオリンピック）から排除してはどうだろうか。核兵器容認国は倫理的に不利な立場であることを知っているだけに強い態度に出られないと思われる。倫理（あるいは正義）を高く掲げられると、罪の意識を持つ国や人間は、自重せざるを得なくなるのが普通であるからだ。私はこのような事態になることを強く期待している。

実は、これまで毒ガス禁止・生物兵器禁止・焼夷弾禁止・クラスター爆弾禁止・地下埋蔵兵器（地雷）禁止というふうに、多数の非人道的兵器の禁止条約が結ばれてきたのだが、それを平気で破る国は多数ある。しかし、それを大っぴらに堂々と犯す国がないのも事実なのである。禁止条約があって、世界中から批判的に見つめられると知っているからだ。禁止条約を結ぶ最大の効果は、倫理的な縛りによって暴走を防ぐことにあると言える。

実際に核兵器の廃絶が実現するのは、すべての核兵器保有国が一斉に核を放棄する状況になることではないかと思っている。一国でも核兵器の放棄を拒否する国があれば、他の国だって放棄しないからだ。つまり核廃絶が実現するのは、世界中に核兵器廃絶の声が満ち、核兵器保有国が孤立してしまうときで、それまでには長い時間がかかるだろう。私たちはそんな世界の実現に向かって、一歩を踏み出していることに自信を持とうではないか。

むろん当面の最大の批判対象は、唯一の被爆国であり、核の悲惨さをよく知っている日本が核禁条約を批准していないことで、私たちは日本が核廃絶の先頭に立つことを要求し続けねばならない。日本政府は核保有国と非保有国の橋渡しをすると言っているが、その根底には核保有を当然とする考えがある。それを打ち破るために力を尽くしたいと思う。

（大阪民主新報　20年12月6日）

「人道的兵器」の禁止

戦争をやめられない人類は、時代が進むとともにますます大量かつ効率的に人間を殺傷する武器を開発してきた。特に、従来とはまったく異なった原理で登場した新兵器は、「その殺傷能力の大きさ故に、もはや戦争を引き起こす気がなくなるから人道的兵器だ」と喧伝されて戦場に持ち込まれた。ダイナマイトしかり、生物化学兵器しかり、原爆しかりであり、そして今はドローンを嚆矢(こうし)とする「ＡＩ（人工知能）搭載自律型致死兵器システム（ＬＡＷＳ）」を人道的兵器として開発し、戦場に投入しようとしている。しかし、振り返ってみれば、新たなる人道的兵器の登場は、戦争による人的被害をいっそう拡大するばかりであった。そもそも「人道的兵器」というのが概念矛盾をはらむ言葉であることは明らかだろう。

いくら戦争であっても、あまりに残酷な殺し方は黙過できないとして、一九二五年のジュネーブ議定書によって、戦争における生物兵器と化学兵器の使用禁止条約が結ばれた。この議定書で禁止されたのは生物・化学兵器の「使用」であって、開発・生産・保有などの包括的規制がむすばれたのは生物兵器禁止条約が一九七一年、化学兵器禁止条約が一九九二年であった。しかしながら、シリア内戦でも「使われた」と報道されたように、安価に手に入る化学兵器は「貧者の核兵器」として、まだ完全に放棄される状態には至っていない。おそらく、各国の軍は禁止条約があることを知りながら、秘密裏に化学兵器を所有しているのではないだろうか。いっそう多数の人間を無慈悲に殺す核兵器については、その使用のみならず実験・生産・備蓄・移譲など、まさに包括的規制を目指す核兵器禁止条約が二〇一七年にやっと国連で採択されたのだが、核兵器保有国や日本の反対による不参加もあって、二〇二一年一月二十二日まで発効が遅らされた。

これらの大量破壊兵器である生物兵器・化学兵器・核兵器を除いた通常兵器であっても、過剰な殺戮や無差別殺傷の効果を及ぼす恐れのある兵器に対しては、一九八〇年に「特定通常兵器使用禁止制限条約（CCW）」が採択され、一九八三年に発効した。これを基礎にして、対人地雷やレーザー兵器の使用の禁止や不発弾の処理を義務付ける議定書が結ばれることになった（後に、対人地雷とクラスター爆弾について生産・貯蔵・移譲まで禁止する条約に発展した）。これらのほとんどは非政府組織（NGO）の活動によって実現したもので、市民が国家を動かし世界の平和の礎となってきたことは特筆されるべきだろう。

今、AIが敵を識別して自動的に攻撃する「キラーロボット」をはじめとしたLAWSが、火薬、核兵器に次ぐ「第三の軍事革命」と位置付けられている。これをCCWの枠組みに加えて使用を禁止しようと、NGOやAI研究者や良心的経営者（テスラ社最高経営責任者など）の運動が展開され、AI兵器国際会議の公式会合が二〇一八年十一月以来三回も行われてきた。LAWSについては、米国防総省はオペレーターの介入なしで標的を選定・攻撃できる自律的機能を有する武器と定義して、まだ未開発としているが、オペレーターの介入があっても特定条件下での処理を繰り返す機能を持つ兵器もＬＡＷＳに含めるべきだとＮＧＯは主張している。既に実戦配備されている遠隔操縦無人機の「プレデター（ドローン兵器）」をＬＡＷＳとして禁止すべきと考えているからだ。

米国やロシアは、ＡＩ兵器を人道的として禁止に反対しており、日本政府は「ＡＩ開発研究に支障が出る」との理屈で規制反対を表明している。核兵器禁止条約に対するのと同じ米国追随である。なんと情けないことであろうか。

（中日新聞　18年10月13日）

ＡＩ研究者たちのボイコット

去る二月二〇日、韓国国立大学の「韓国高等科学技術大学（ＫＡＩＳＴ）」は、防衛関連の大手企業であるハンファシステムと、人工知能（ＡＩ）を活用した兵器の開発などを共同で推進していくことに同意し、キャンパス内に「国家防衛とＡＩ結合研究センター」を設立すると発表した。産学連携によって、ＡＩベースの命令や決定システム、水中無人機のナビゲーションの複合アルゴリズム、ＡＩによる飛行訓練や物体追跡認知技術に関する研究や開発など、ＡＩがらみの軍事研究を行う予定であった。

ＫＡＩＳＴのシン・ソンチョル学長は「センターの設立は国家防衛におけるＡＩ活用の重要な基盤を形成する」と言明し、ハンファシステムのＣＥＯは「二〇一八年までに競争力ある製品を開発したい」と意欲満々で出発したのである。

実際、韓国では既にＡＩ搭載の監視ロボットが北朝鮮との国境に配備されており、人の接近を画像認識で判断すると、警報を発するようになっているという。人間の目を上回る監視装置を広範囲に渡って配備しており、二十四時間継続しても疲れることがない。現在のところ発砲には人間の判断を必要としているから他律的だが、この先、ロボット自身がＡＩによって敵と認識すれば自動的に発砲する、自律型ロボット兵士へと「進化」することは確実だろう。

ところが、ＫＡＩＳＴの計画を聞くや、オーストラリアのニューサウスウェールズ大学のウォルシュ教授が中心になって二十九ヵ国五十七人の科学者が、国家防衛のためのＡＩの使用を目的とした新センター設立に反対して、ＫＡＩＳＴとの協力関係をボイコットする旨のオープンレターを発表した。そこには「ＫＡＩＳＴが、無人航空機ドローンや無人潜水艦、巡航ミサイル、自律作動する兵器、戦場ロボットなど自律型兵器を開発しようとしていることを強く懸念し、武器開発競争に加担してＡＩ兵器開発を加速させることを遺憾に思う」と書かれている。そして、「人道的制御を欠いた自律型兵器開発を行わないことをＫＡＩＳＴ学長が保証するまで、ＫＡＩＳＴのいかなる部署との交流も行わない」と宣言したのである。

この宣言を受けてシン学長は急遽、「ＫＡＩＳＴは強力な自律型兵器システムやキラーロボット開発に従事するつもりはない。また、ＡＩを含めすべての技術の応用に関する倫理的な懸念については十分心得て行動する」と確約した。その結果、ＫＡＩＳＴに対するボイコット騒ぎは収まったのだが、日本で同様のことが起こればどうなるか心配である。

というのは、日本のＡＩ学会が、昨年二月に「ＡＩの研究開発の倫理指針」をまとめたのだが、そこにはＡＩの軍事利用に関して一言も書かれておらず、まったく警戒心に欠けると言わざるを得ないからだ。ＡＩ兵器は、その非人道的攻撃能力のみならず、機械に人間殺傷の決定を委ねてしまう危険性、そして戦場へ自律ロボットが投入されると止めどもなく殺戮を拡大してゆく可能性がある。先日亡くなったホーキング博士も自律型ＡＩの危険性について警告していたが、大げさに言えば人類存続の鍵すら握っていると言える。その意味で、ＡＩ兵器の危険性を一番よく知っているＡＩ研究者こそが、この度の勇気あるボイコット宣言に学び、ＡＩ兵器の規制を日本でも粘り強く主張していかなければならないだろう。

（中日新聞 18年4月27日）

電磁パルス弾開発の愚

防衛省は、二〇一七年八月末日に提出した二〇一八年度概算要求に「電磁パルス弾（ＥＭＰ弾と略す）」の研究開発として一四億円を計上した。耳慣れないＥＭＰ弾兵器の開発に北朝鮮も着手しているらしいことが報道されているので、この兵器の内容と危険性について解説しておこう。

高度が五〇～一〇〇〇㎞で核爆発を起こさせると、それによって放出された強い電磁波や荷電粒子によって、電離層や地球磁場が乱されて、強い電波パルスの発生が誘発される。この電波パルスが地上付近に到達すると、瞬間的に送電線に大電流が流れて、停電を引き起こしたり通信回路や電子回路が破壊されて機能しなくなってしまう。そうすると、原爆のように直接人間を無残に殺傷するのではなく、発電所・交通網・通信・工場・金融システム・病院・食料や水の供給など、現在ではあらゆるインフラで使われているデジタル（ＩＣ）回路が壊され、日常の生活が営めなくなってしまう。その結果として、多数の犠牲者が出ることになる。要するに、ＥＭＰ弾とは高高度で大爆発を起こすだけなのだが、その威力は甚大で、被害は電気に依存する領域全般に及ぶのである。真綿で首を絞める残酷兵器と言えるだろうか。

ＥＭＰ弾の危険性については、一九四五年の世界最初の原爆実験の際、既にその可能性が指摘されたのだが、現実にはたいしたことがなかったので無視されてきた。しかし、一九六〇年に行われた上空一〇〇〇㎞における水爆の爆発が三〇〇〇㎞も離れた場所に停電を引き起こしたことで、その危険性が現実に認識されることになった。一九六三年に結ばれた大気圏内での核実験を禁止した「部分的核実験停止条約」は、ＥＭＰ弾の開発に向かわないために結ばれた、という経緯もあったらしい。

ＥＭＰ弾と同じような現象を引き起こすのが、太陽表面で生じるフレアーと呼ばれる大爆発で、水爆の十万倍以上の規模である。これよって太陽表面で荷電粒子が放出され、二～三日後に地球に到達して強い電波パルスを発生させて被害を与える。実際、二〇一七年九月六日に強いフレアーが発生したことによって、北朝鮮は九月九日の建国記念日にミサイルを打ち上げる予定だったが、ＧＰＳが狂って正確な方向が決定できず、発射を見合わせたと言われている。まさにＥＭＰ弾使用のテストを実地に行ったようなものであった。というのは、北朝鮮は九月三日に行った核実験を水爆だと言い、ＥＭＰ弾を開発していることを公式に認めたからだ。

日本でも実は、ＥＭＰ弾の開発計画は既に構想されている。防衛省が昨年八月に発表した「中長期技術開発見積り」において、概ね五～十年後の開発目標として「ＥＭＰ弾等を発生させる弾薬の技術」を掲げているからだ。核爆発ではない弾薬の開発としているが、果たしてそれで止まるのだろうか。

ところで、ＥＭＰ弾が敵味方の区別なく多大な被害を与え、自滅兵器ともなり得る兵器であることは、同じ防衛省の文書に「ＥＭＰ弾に耐えうる電磁パルス防護対策技術の構築」も併せて掲げてられていることからもわかる。財務省は、そんな危険な兵器開発に予算をつけるのだろうか。

「祖国防衛のため」という名目をつけさえすれば、どんな破壊兵器にも手を出すことが許されかねないことの愚かさを痛感する。ＥＭＰ弾開発を告発し続けたいと思う。

（中日新聞 17年9月23日）

悪法は必ず改正される

悪名高い治安維持法は、第二次世界大戦が終わるまで、度重なる改正と拡大解釈によって取り締まる対象がどんどん拡大され、罰則も厳しくなって国民は物言えぬ状況に追い込まれた。国民の権利を制限し侵害する可能性がある悪法が、いったん成立してしまうと、権力はさまざまな理屈をつけて改正し、国民を支配する範囲を拡大するのが常だと考えるべきだろう。

第二次安倍内閣になって以降、特定秘密保護法・安全保障関連法・組織的犯罪処罰法（いわゆる共謀罪法）など、政治に絡むさまざまな悪法が作られたり改正されたりし、最近では「働き方改革」と称して労働基準法や労働契約法など労働関連法が改正され、高度プロフェッション制度が新設された。これら多数の法は、国会を通過してひとたび法律として施行されると、人々は「悪法も法」として従わざるを得なくなる。最初は露骨な悪法化は控えられるのだが、人々がその法に慣れて抵抗しづらくなると改正の動きが出てくる。いかなる法でも不備があり、不備が強調されて例外的な事象までも含むよう改正されるのである。そのとき同時に、権力者にとって都合が良いような解釈や変更も併せて加えられるのだ。最近改正があった二例を検証してみよう。

一つは、「犯罪捜査のための通信傍受に関する法律」（いわゆる盗聴法）で、オウム真理教事件を契機に一九九九年に成立した。やがて、犯罪の組織化や複雑化に対応できない不備のためとして、捜査に通信（電話やメール）の傍受（盗聴）をすることを可能としたのである。それでは通信の秘密や自由を侵害する危険性があるとの心配から、最初は四つの犯罪類型に限られ、裁判官の傍受令状と通信事業管理者の立ち合い義務があり、通信当事者には事後的な通知をすることにした。ところがその後の相次ぐ改正で、窃盗や特殊詐欺など九つの犯罪まで傍受可能と適用範囲が拡大し、事業者の立ち合いが不必要となり、それまで事業者の施設で行っていた傍受が、専用機器を備えた各警察本部で行えるようになった。どんどん警察の独断による盗聴が可能になり、秘密裡に思想や行動調査のための傍受が行える体制を整えたのである。現に連合大分の敷地にビデオカメラを秘かに設置するという警察の組織犯罪が暴かれる事件が起こっている。

もう一つはドローン規制法の改正である。二〇一六年に成立したドローン規制法では、国会・首相官邸・皇居・原子力施設上空のドローンの飛行が禁止されたのだが、二〇一九年六月に施行予定の改正では、防衛関係施設として自衛隊および米軍施設を加え、施設・敷地のみならず周囲三〇〇メートルの区域上空が原則禁止になる。米軍についてはさらに基地の敷地外の提供水域や空域も含まれる。この影響を大きく受けるのが沖縄で、たとえばこれまでドローンを使って辺野古埋め立て現場を上空から撮影し、赤土で汚染された海域など工事の進捗状況を把握していたのだが、米軍キャンプ・シュワブの提供水域に囲まれているため、ドローンが飛ばせなくなってしまった。

今後心配されるのは、ドローン禁止を口実にして基地周辺の監視が厳しくなって、基地内外の動静の把握が困難になり、基地が治外法権となってしまうことだ。戦中に基地が見える丘で写生していただけなのに、スパイと決めつけられ罰せられた事例があったことが思い出される。始めは、あまり影響がないと思っていても、悪法は必ず改正され、国民の権利が制限されていく道をたどる。少しでも国民の権利や自由を阻害し、また疎外する可能性のある悪法は、最初から一切拒否する姿勢を貫かねばならない。

（中日新聞 19年6月1日）

ＡＩの命じるままに

今や、買い物をしてポイントを溜めれば特別のサービスが受けられるのが常識である。消費者は、その情報がビッグデータに加えられ、ＡＩ（人工知能）によって個人の買い物動向を診断する材料になっていることについてはあまり気を払っていない。さらには買い物だけでなく、交通系のＩＣカードやクレジットカード、Ｔカードのようなポイント集約カードなど、あらゆるカードのデータも同じ扱いになっており、ＡＩはひたすら集積されるビッグデータの解析に勤しんで商売の足しに供している。同時に個人のプライバシーまでも把握していて深刻な問題だが、本稿ではそのことには触れない。

ＡＩの便利さは、錯綜し、時には矛盾する多様なビッグデータであっても、それを整理して目的ごとに最適解を選んでくれるということである。私宛に、いつも書籍を購入する書店から「注目の新刊」と称する案内が時々送られてくるが、つい手に入れたくなる書名が並んでいる。ＡＩが日頃の私の購入歴から判断して、自動的に選んでいるに違いない。何千もの先の手を読む碁や将棋の世界では、既にＡＩの方が棋士の実力を上回っていることが示されているが、目的を限るとＡＩの判断に委ねた方が的確ということなのである。

このような状況が積み重なっていくと、私たちは自らの意志で物事の判断をせず、ＡＩの判断に委ねてしまうようになる可能性がある。何しろ数多くのデータの解析から得られたＡＩの選択なのだから間違いがない、と思ってしまうからだ。しかし、ＡＩがどのような理由でその判断をしたかを知ることはできない。多数の要素の移り行きを総合的に判断しての決定なのだから。そのため、なぜその選択をしたかがわからないままＡＩに判断を委ねてしまっていいのか、という問題が生じる。ＡＩ教という新たな宗教の神が、すべてご託宣してくれるのと本質的に同じとなってしまうからだ。

以下のような問題を考えてみよう（ポール・シャーレ著、伏見威蕃訳『無人の兵団』早川書房を参考にした）。ある植物状態の病人につながれている生命維持装置のプラグを抜くかどうかの判断をＡＩに委ねるか？という問題である。その判断のためには、病人の回復可能性、治療を続けるコスト、家族が被っている精神的重圧、かけがえのない人命という価値、治療のための資源を別の人に使うメリットなど、考えるべき要素が数多くある。それらの要素をすべて比較考慮し、膨大なデータを自動的に処理して、生命維持装置につないだままにするかどうかを判断してくれる、そんなＡＩはきっと存在するだろう。

家族はＡＩが指示することに黙って従うだけでよい。何しろＡＩの判断は万全なのだから、その決断が最善の結果をもたらすであろうことは疑いがない。あらゆる状況を考慮し、莫大なデータを照合して、考えられる要素すべてを吟味して、ＡＩは判断を下すのだから。ここまでは相談相手の一つとしてＡＩを加えるだけであり、占いに頼るのと変わりはない。

しかし、それに止まらず、ＡＩを生命維持装置に内蔵しておき、刻々とデータを照合する中で最善の時に生命維持装置が自動的に停止するようセットすることもできるだろう。この場合、最後の措置までＡＩが判断し、行動してくれるのだから、もはや家族の手を煩わすことがない上に、人の生死を握っているという倫理的なジレンマに悩むこともない。家族は心理的重荷から解放されることになる。しかし、人々は、機械の決定と機械的措置に全てを委ねることを受け入れるだろうか。たとえ、占いや神のご託宣であろうと、その助言を聞いて、自分の手で処置したいと思うのが人間ではないだろうか。

このちょっとした差が何に由来するか、じっくり考えてみる必要がありそうである。ＡＩにすべてを委ねてしまえば、精神的に重大な欠落が生じてしまう、それこそ人間が保持しなければならない大切な心ではないかと思うからだ。それとも、ＡＩの決定こそ唯一無二の正解として、平気で採用する時代となるのだろうか。

（中日新聞　19年8月23日）

性差より個人差

そのまま素直に表現すればいいのに、人間は、ごまかしたり、反対のことを言ってみたり、とぼけて知らんふりをしたりする。人間の心は複雑で、この天邪鬼（あまのじゃく）的な心の移り変わりはＡＩ（人工知能）が最も不得手とする分野であろう。人間の体の反応も複雑で、偽薬であっても、それが乗り物酔いに効くと思い込めば実際に効能がある。ノーベル賞をもたらした高価な薬であっても、すべての人に同じように効くわけではない。このように人の心身は複雑系で、一筋縄で理解できないのが人間なのである。

そのことはよくわかっていても、他方では、さまざまな事柄に対して人々がなぜ同じように振る舞わないのかについて、説明をしたくなる。人間の多様性を解釈しようというわけだ。そのもっとも手っ取り早い方法が「脳の作用による」という解釈で、脳の働きの違いとか、脳構造が異なっているからという理屈をつけて、人間の行動の意味付けを行い、差異を説明してみせる。脳に責任を押しつけておけば、科学的根拠が不明確な俗説に過ぎなくても、何となくわかった気にさせられるからだ。

このような状況を懸念した経済協力開発機構（OECD）教育研究革新センターが、二〇〇七年に出した報告書『脳から見た学習』（明石書店、二〇一〇年刊）では、「人間は脳の10％しか使っていない」とか「男女の脳には違いがある」とかの俗説を科学的に検証してあっさり否定し、「ニューロミス（神経神話）」と名付けて疑似科学の類であると言明した。にもかかわらず、相変わらず脳にまつわる多くの神話がいかにも正しい理論であるかのように通用しているのが実情であろう。

特に私がひっかかるのは、男性の脳と女性の脳は異なるという言説である。『妻のトリセツ』（黒川伊保子著、講談社）がベストセラーになっているように、男女の行動の差異は生まれつきの男脳・女脳の違いに由来しているとまことしやかに説き、世間に受け入れられている。これを「ニューロセクシズム（神経男女差別）」と言うのだが、今さまざまな面で指摘されている男女差別を正当化する根拠になっているのでは、と懸念している。「男らしさ」「女らしさ」とか、「男は度胸」「女は愛敬」と、男と女の生得の差を言い立てて差別を正当化するのに、「脳構造の違い」が使われているのである。

平均的に見て脳構造に男女差が少しはあると言われてはいるのだが、先に述べたように人間は複雑系なのだから、すべての人間が平均と同じではなく、それぞれが異なっていて幅広い分布をしている。だから、男女の差異より、個々の人間の差異の方が圧倒的に大きい。平均身長で男性の方が女性より少しばかり背が高いからといって、すべての女性の身長が男性より低いわけではない。性差を云々する以前に個人差の方が大きいのだ。そのことを無視して、平均で男性と女性に差異があるから個人もその通りと決め付けてしまうのは大きな間違いなのである。

日本政府は、何年も前から「男女共同参画社会」をキャッチフレーズに掲げ、「女性活躍推進法」まで制定して、女性が男性と対等に活動できる社会作りを目標としてきた。それはそれで結構なのだが、それなのに男女の平等指数は世界一四九か国中第一一〇位である（世界経済フォーラム「ジェンダーギャップ指数」）。そのことは、男女平等の施策の精神が有効に機能していないことを物語っている。そこには「男はこうで女はこうだ」との決めつけがあり、その根拠として脳構造が違うからだと思い込んでいる男性が多いためではないかと思う。そう考えると男女差は生得のものだから当然で、何も女性差別をしているわけではないと合理化できるからだ。

「性差より個人差」、そのことをまず確認し、性差に捉われない対応をすることが先決なのである。

（中日新聞 19年6月26日）

V

科学アラカルト

本章では、科学に関わる、肩の凝らない話題を取り上げた文章を集めている。文学や絵画芸術に相対したときの感想、子ども時代の科学の体験、アインシュタインやホーキングに関わる逸話、上野商店街の宣伝誌『うえの』に年に一回くらい書いたアレコレの科学談義など、頼まれるままに科学を巡って書いたものである。書くごとに自分の世界の狭さと発想の貧しさを反省させられることが多い。頼まれて書くのではなく、いつもアンテナを張っていて、飛び込んで来るちょっとした信号を敏感に捉えて、洒落た科学エッセイに仕上げれば素敵だろうな、なんてことを思っているのだが……。

しかし、頼まれ原稿であろうと、出来上がると苦労して書いたことをケロッと忘れて、人に知られざるエピソードを開陳できたと自分がディレッタントになったかのような気分になる。実際、江戸時代の司馬江漢が残した画業とか、アインシュタインの子どもの頃の逸話とか、勉強してまとめたものは愛着がある。だから、もっと話題が豊富な人間になって、時空を超えて歴史秘話を見つけ出したいと思う。

ただ科学者の常として、対象が科学に関わると、その正確さや正当性の詳細にこだわってしまうので、世界が一向に広がらない。「新しい博物学」と称して、モノやコトに関わっての科学知と人間知を結び付ける博物誌を提唱しているが、なかなか様にならないのがもどかしい。

本章のような話題をもっと集めて、エッセイ集として本にすることができるくらい、本当の「a la carte（献立表によって）」としてまとめられたらと願っている。

ホーキングの賭け

車椅子の天才ホーキングが七十六歳の生涯を終えた（一九四二〜二〇一八年）。二十歳のときに筋萎縮性側索硬化症という難病で寿命は短いと宣告されたが、恐るべき生命力を発揮して奇跡的に長生きした。その生涯の間に、数々の物理学の難問を自らに突きつけては卓抜な構想力で解決して、物質世界の多様性を広げた。彼の特質は、思いがけない発想で問題を見つけ出し、新しい手法を考案して誰も考えなかった解答を探り出す天性の才能で、「新領域開拓型」の物理学者であった。若干三十七歳でニュートンも務めたケンブリッジ大学のジョージ・ルーカス教授職に就任している。彼が開拓した「量子重力理論」と呼ぶ新分野には多数の研究者が進出し、現在では大きな研究領域へと発展しており、物理学の「究極理論」がそこから生まれるのではないかと期待されている。まさに科学の先駆者と言えるだろう（二〇二〇年のノーベル賞は、一般相対性理論の研究でロジャー・ペンローズに授与されたが、ホーキングが生きていれば同時受賞となったことは確実である）。

彼の仕事はかなり難解で、彼の科学の業績の偉大さを知ってはいるが、内容まで立ち入る人は少なかったのではないか。といって、彼を敬遠するのではなく、近しい存在として見ていた人がほとんどであったと思われる。彼は不自由な体にも関わらず人前に出ることを厭わず、講演会や座談会などで難解な理論を易しく語り、人々と対話することを進んで行ったためである。また『ホーキング、宇宙を語る』（早川書房）を始め、数々の著作で自分流の宇宙観を易しく語りかけ、SFが好きでテレビドラマに出演し、宇宙飛行士と無重力体験をし、私生活では最初の妻との間に三人の子供をもうけただけでなく二度まで離婚を経験している、という多能多才ぶりである。晩年には、自律型のAI（人工知能）が出現するようになれば人類は重大な危機に直面して絶滅しかねないという深刻な警告を発していた。まあなんと多彩に生きた人生であったのだろうと感心する。

賭け好きのホーキング

以下では、ホーキングのもう一つの側面として「賭け好き」であったことを取り上げよう。イギリスには多数のブックメーカーがいて、あらゆるものが賭けの対象になることはよくご存じだろう。それは儲けのためというよりは、人生のちょっとした楽しみのためである。だから、典型的なイギリス人であるホーキングも生涯の間にいくつか賭けをし、大体は負けて掛け金を支払ったというエピソードも、その理由を知るとさもありなんと思われるのではないか。彼の賭けは、ブックメーカーが介入する賭けではなく、彼が付き合う一流の科学者との間で行われる「科学の未知の問題に対する予測」に関するものである。それもホーキングが発案した問題に絡んでいて、彼は負けることを楽しんでいた風に見える。そのいくつかを紹介しよう。

最初の賭け

私たちが知っている最初の賭けは、一九七四年にカリフォルニア工科大学のキップ・ソーン教授（二〇一七年重力波の発見でノーベル物理学賞受賞）としたものである。白鳥座のX線を出している「〈天体X－1〉はブラックホールなのかどうか」の賭けをしたのだ。ブラックホールは非常に強い重力によって光すら閉じ込めてしまうので、ブラック（黒い）のままだから、本体が光では見えない特別な天体のことである。ホーキングの主な研究テーマであった。白鳥座X－1からはX線が放出され、強く激しく変化しているにもかかわらず、なぜか天体の姿が検出できない。当然、そこにブラックホールがあると二人とも考えていたのだが、ホーキングはあえて「ブラックホールではない」ほうに賭けたのである。

その理由は、X－1にブラックホールがあれば余りに当たり前で物理学としては面白くない。「ない」とするとX－1の謎は深まって、いっそう研究心が高まるではないか、というものであったとされている。あるいは、もしブラックホールが存在しないなら、自分がこれまでブラックホールについて研究してきたことが無駄になってしまう。ならば、せめて「ない」に賭けておけば「勝つ」ことで慰めになるとした穿った解釈もある。いずれが正しいか、もはや永遠の謎になってしまったが、私は物理学の発展を願った前者の方が当たっているのではないかと思っている。

一九八五年だったと思うが、私がカリフォルニア工科大学のキップ・ソーンの部屋を訪れたとき、二人の賭けを記した署名入りの色紙が額に入れられて壁に飾ってあった。ソーンはウインクして、これでホーキングから百ドル稼げるからビールを飲みに行こうと誘ってくれた。学者仲間での学問上の賭けはしょっちゅう行われているようであった。

ブラックホールはブラックにあらず

ホーキングの重要な業績の一つに、「ブラックホールはブラックにあらず」というパラドックスめいた命題の証明がある。先に述べたように、ブラックホールは強い重力場のために光すら飛び出してくることができないからブラックである。ところで、ブラックホール表面には非常に強い重力が働いており、ブラックホールが原子サイズであれば、その表面における物質の運動にはミクロ世界を支配する量子力学を適用しなければならない。それを量子重力理論と呼び、ホーキングが開拓した新分野である。

そのような原子サイズのブラックホールでは、物質と反物質が常にペアで生成され、またペアがくっついて消滅する過程を繰り返しているのだが、ブラックホール表面では変わったことが起こる。ペアでできた物質はブラックホールから飛び出していく一方、反物質のほうはブラックホール本体に落ち込んでいくのである。その結果、ブラックホールから物質が蒸発するように飛び出し、反物質は対消滅して光に変わる。このプロセスが続くと、やがてブラックホール自身が蒸発によってなくなってしまうということになる。このような奇想天外な理論をホーキングが提案したのである（一九七四年）。驚天動地のアイデアであった。今では、もはや当たり前のこととして受け入れられている。地球くらいの重さのブラックホールがあれば、それが蒸発してなくなってしまうまでの時間は宇宙時間より短いことが証明されている。

ブラックホールの毛は三本

ブラックホールに「無毛定理」というおもしろい定理がある。ブラックホールを特徴づけるのは、その重さと電気量と回転運動の大きさの三つしかなく（だから無毛ではなく毛が三本あるのだが）、ブラックホールが形成される際に物質が落ち込んでいくとき、この三つ以外の情報はすべて失われてしまうと考えられていた。ところが、先のホーキングのアイデアによれば、ブラックホールから物質が蒸発することになった。そうすると、この蒸発する物質に量子力学を適用すると、ブラックホールが形成される以前の情報が残されているのではないか、という疑問が生じてきた。ブラックホールが何からできたかを覚えているのか？という問題とも言える。

新しい賭け

一九九七年に、ホーキングはこの問題について、キップ・ソーンとジョン・ブレスキルという物理学者とともに新しい賭けをした。ホーキングはキップ・ソーンとともに、情報は一切失われてしまう方に賭け、プレスキルは物質は蒸発しても情報が残っているとする方に賭けたのである。ホーキングは従来の説が正しく、もうそれ以上追究しても意味がないという保守的な立場を選んだとされているのだが、私はプレスキルを挑発しようとしたのではないかと考えている。というのは、ホーキングは一九七五年に情報が完全に壊れてしまう理論を創ろうとしてうまくいかず、その理論は間違いだと気づいていたらしいからだ。それ以上この問題には手をつけなかったのだが、それに挑戦しようというのがプレスキルであった。そこで彼を励ます意味も込めて、賭けに出たのではないだろうか。実際、プレスキルの熱意と努力が実を結んで、二〇〇四年に情報が残っている可能性を理論的に証明し、ホーキングは負けを認めて、賭けの品である「野球百科事典」を贈ったという。

ホーキングの深謀遠慮

他にも、「神の素粒子」とまで言われた素粒子の質量を決定するヒッグス粒子が、ジュネーブの加速器実験で見つからない方に百ドルの賭けをして、ホーキングは負けている。物理学は予想した結果が出ないときに大きな進歩をするという考えからのようであった。こうして眺めてみると、ホーキングの賭けは負けることが目的であったと言える。学問の新しい地平が広がる可能性に期待して、あえて負ける方を選んでいるのだから。

以上のように、ホーキングの賭けは深謀遠慮と茶目っ気が交じり合うものであったが、それは彼の人生を貫く心情だったのではないかと思う。車椅子に閉じ込められ、話すことも自由ではないことから、私たちはつい彼の辛さや苦しさを思ってしまう。しかし彼は、そんな思いを抱かないでくれ、楽しく語り合おうや、という気持ちを持ち続けて私たちにサービスしたのだ。だから、明るい気質をずっと維持してこられたのだし、それが稀代の難病を抱えたにもかかわらず長く生きられ、人並み以上の活動ができた理由なのではないだろうか。

（「婦人の友」18年7月号）

アインシュタインの教育論

「アインシュタイン」という名の付く本は四百冊以上出されているだろうが、彼の性格や言行録や業績の紹介が中心で、教育論・教育観としてまとめられた本はほとんどない。ほんの少数、インタビューあるいは講演の一部で教育や教師のあり様について述べたものが見られる程度である。彼が育った時代を考えると、ムチを持ったギムナジウムの教師が生徒に知識を押し付けて暗記させる教育が当たり前だったであろう。そのようなトップダウン教育に苦しめられた記憶ばかりで、教育をどうすべきというような具体的な提案は考えられなかったためかもしれない。科学教育に関して彼がどう考えたかを系統立って書く材料が少ないので、本稿では彼の幼い頃の生い立ちや、青年期の仲間との付き合いを顧みる中で、アインシュタインの教育論がいかなるものであったかを推測してみることにしたい。

アインシュタインの幼い頃

アルベルト・アインシュタインは一八七九年生まれだから、ドイツでは鉄血宰相ビスマルクの下で国家統一が成し遂げられ（一八七一年）、鉄鋼業・化学工業・鉱山業などの工業化に成功して植民地主義国家の仲間入りをしつつある時代であった。急速な近代化の中で国家支配の雰囲気が強く、それに応じてギムナジウムなど国家のエリートを養成する学校では、伝統文化による精神支配と上位への絶対服従を強いる教育が当然とされていたのである。

アルベルトは赤ん坊の頃から変わっていて、なかなか言葉を話さなかったので、両親は知能が遅れているのではないかと不安になって医者に相談した。しかし、特別なときには自分から話していたし、二歳八カ月になったときに妹のマヤが生まれたのだが、赤ん坊を見て「車輪はどこについているの？」と尋ねたそうである。お母さんのお腹から玩具が出てきたと思ったらしい。

七歳になるまで、声に出さないで口の中で繰り返してから話すという癖があった。正しいことをまず頭の中で確認し、復唱していたのだ。その経験があったためか彼は、「教育には、概念的な思考を言語的なものに変換してしまい、感覚的な経験とのつながりを切ってしまうという教育特有の危険性がつきまとっています」と語っている。イメージはあるがすぐには言葉にはならない、その感覚こそ大事にすべきだと言いたかったのだろう。幼い頃のアインシュタインは癇癪（かんしゃく）持ちであり、乱暴で、傲慢で、生意気で、気まぐれで、変わり者であったと言われているが、言葉にできないもどかしさのためにイライラしていたのではないか、と解釈できそうだ。

彼は六歳のとき豹変する。病気で寝ている息子の気をまぎらせてやろうと父親がコンパス（羅針盤）を買い与えてくれたとき、彼は突然宇宙の神秘を探る「思索家」になったのである。

なぜ磁針が常に北を向くか不思議でたまらず、長い間ずっとこの謎について考え続けたらしい。彷徨(さまよ)い続けていた少年の心に、大きく振れては戻ってきて、一定の方向を指す磁針の動きが強く焼き付いたのだろう。老年になってアインシュタインがこのエピソードに触れる時は、遠くを見ながら、子どもの潜在的な好奇心を汲み出すことがいかに大切かを語ったという。子どもたちそれぞれが意識しないまま（言葉にならないまま）抱いている、謎や美や憧れを突き詰めたいという心の衝迫を解放し、何らかの形として目に見えるようにすること。これはまさに教育の原点ではないだろうか。

幼い頃の教育から

アインシュタインは小学校に入学したが、教師たちは彼が思索家であることに気づかず、知能が遅れているのではないかと疑った。暗記ができず、質問されてもすぐに答えず、退屈なことは一切無視し、それをマスターする努力もしなかったからだ。ところが、興味を感じたことには集中力を発揮し、殊に数学とラテン語では優れた才能を披瀝して、人にやさしく教えてやったりもした。他の授業科目の成績はすべて絶望的でひどく叱られたのだが、その間、かろうじて微笑みながら我慢していたらしい。彼の孤立性と外向性という両極性も、イメージと言葉の発現の二面的関係として置き換えられるのかもしれない。

ギムナジウムに入って後、電気技師である叔父のヤーコブから「人生最大の喜び」となった代数や幾何学を習い、友人のマックス・タルムドの勧めで科学と哲学の魅力に強く惹かれ、学校で唯一好意を持った文学教師のロイスからはシラーやゲーテなどの作品を知った。アインシュタインは、型にはまった学校教育に強い反発を覚えて受け入れなかったのだが、叔父や友人や数少ない教師との幸運な邂逅があったために打ち込める対象を見つけ、自分の興味を深めることができたのである。

彼が『晩年に思う』（一九三六年）に書いているように、「私にとって最悪だと思われるのは学校が主として恐怖・力・人工的な権威というような方法を用いることです。そのような扱いは、生徒の健全な情緒、誠実さ、自信を破壊します。それが作り出すのは従順な臣民でしかありません」と、彼が受けた学校制度の問題点を強く批判している。そして、学校を離れた場で周囲の大人たちの知的世界の豊かさを知り、そこに自分を調和させ、自身の生きる道を発見したことを懐かしんでいる。彼らはとりわけ優れた人間でも天才的な人間でもないけれども、専門家として自信を持ってアインシュタインを導いてくれたからだ。彼はそんな大人たちから数多くのことを学んだのである。

オリンピア・アカデミー

アインシュタインが世にも稀な天才として育ったもう一つの要素について述べておきたい。

彼が特許局に就職した一九〇二年、友人のハビヒトとソロヴィンとの三人で、友愛会であり、晩餐仲間であり、討論クラブでもある「オリンピア・アカデミー」という集まりを週一回ずつ持ったことだ。彼が後年「至福のとき」と回顧しているように、彼らと哲学や文学から最新物理学までを取り上げて喧々諤々の議論をし、さまざまな角度から見直すことで、新しい発見ができることを学んだのである。あまり騒々しいのでアパートを追い出され、街中を歩きながらあれこれ議論し合ったのだが、アインシュタインがもっとも饒舌でかつ大声であったという。談論風発する中で、彼が抱いてきた物理学のイメージをようやく具体的な形として捉えられるとの手ごたえを感じたのではないだろうか。

実際、後年彼は「光、時間、空間などについて疑問を持った子供は、ありきたりの説明で満足しないのだが、大人になってから考え直したりもしないものだ。だが、自分はそういうことを考えるのが人より遅く、そうした簡単な疑問を大人になってから考えたので、他のどんな子どもよりも深く突っ込み、辛抱強く追究したのではないか」と述べている。おそらく、子どもの頃から抱き続けてきた疑問を、オリンピア・アカデミーの仲間に対して遠慮なく口に出して話し、幅広く議論する中で、定式化するヒントをつかんでいったのではないだろうか。アインシュタインは単なる紙の上の天才ではなかったのである。

ミケーレ・ベッソのこと

そのことは、このアカデミーに途中から参加したミケーレ・ベッソが、アインシュタインの

「反響板」として生涯の友人となったことを見ればわかる。ベッソはアインシュタインが語り続けることを辛抱強く聞き、相槌を打ったり、疑問を呈したり、ただ沈黙して見守ったりする役割で、やがてアインシュタインが壮麗な理論に組み上げていくのを「反響版」として眺めるだけであったのだが、それが偉大な仕事の助け舟になったのである。

例えば、アインシュタインは思考実験を行うのを好んだ。「光線に沿った仮想の飛行で、光線と同じ速度で移動出来たら、光は止まって見えるだろうか」と疑問を呈した。それを足場にして、ベッソの力を借りて特殊相対論に練り上げることができたのである。一九〇五年の特殊相対論を打ち出した記念すべき論文である「運動物体の電気力学」の最後に、「ここで論じた問題に取り組むにあたっては、私の友人であり協力者であるベッソ氏の誠実な支えと貴重な助言があった。ここに記して感謝する」との一文が付け加えられている。アインシュタインは「反響板」となってくれた友人のありがたさを十分知り尽くしていたのである。

こうして振り返って見ると、アインシュタインのような天才も、周囲の人間との相互作用があってこそ開花したと言える。私たちは身近な多数の天才を殺していないか反省する必要がありそうである。

（「グラフィケーション」16年 vol. 6）

はやぶさと宇宙

ひとつの小石から

私たちは、道端に転がっている小石はどこにでもあって特別なものとは考えないが、実はその分析の方法さえ知ると、小石一つ一つが道端に転がるまでに経てきたさまざまな歴史を読み解くことができる。そして、小石の組成や結晶構造や熱的変化などから、どんな元素が集まっていて、それが地下で圧縮されたり、水に長く浸されたり、太陽の熱にさらされたりという過程を、時間まで含めて読み取れるのである。時には、何十万年か前に月や火星から飛び出して地球を何回も周回した後、隕石として地上に落下したものもある。最近では、ほんの数ミリグラムの小石の欠片(かけら)であっても、そのような複雑な歴史まで知ることができるようになった。

これを地球以外の天体の小石に適用できれば、その天体がどのように誕生し、どのような進化をしてきたかがわかると期待していいだろう。その目的のために、アポロ計画のときは月の石を持ち帰ってきたのである。また、火星に探査機を飛ばして表面の小石や土を持ち帰る計画が、アメリカで現在着々と進められている。太陽系の形成と進化に関する情報を得るための実験である。

その中で日本は、火星と木星の間を運動している小惑星と呼ばれる、惑星になり損ねた小さな天体に探査機を送り、その表面に衝撃を与えて発生したガスや欠片を集めて持ち帰る困難なプロジェクト（サンプル・リターンと言う）を推進してきた。科学の研究は、より困難な計画を企図して、世界初を狙うのが常道であるからだ。二〇〇三年に飛び立った「はやぶさ」が小惑星「いとかわ」に到達し、ガスを集めたカプセルをオーストラリア上空で放出して燃え尽きた様子は動画で放映され（映画にもなり）、日本国民に大きな感動を与えることになった。

その「はやぶさ」の成功を足場に、探査機をより高度なものにして二〇一四年十二月三日に種子島宇宙センターから飛び立ったのが「はやぶさ2」であった。二〇一八年六月に小惑星の「りゅうぐう」の上空二〇㎞に到達し、二〇一九年十一月まで「りゅうぐう」を周回しながらサンプル採取を行って帰還の途につき、二〇二〇年十二月六日にカプセルをオーストラリア上空の大気圏に投入するのに成功した。このカプセルには数グラムの「りゅうぐう」の小石の欠片が封入されていることが確認されており、最新の分析機器を使って「りゅうぐう」を構成する物質の歴史が読み解かれることであろう。

一番の期待は、そこに有機物が含まれているか、ということだろうか。有機物は生物体を形成する基本物質だから、もし発見されれば、「りゅうぐう」から飛び出した有機物を持つ隕石が地球に到達し、そこから生命が生まれ広がったのではないか、という考えが有力になる。地球の生命は地球外に起源があったという、思いがけない展開が導かれるのである。

「はやぶさ2」の長い旅

「りゅうぐう」への往復に「はやぶさ2」は五十二億四千万kmを飛行し続けた。といっても、その飛行のほとんどは、最初に加速された秒速三〇kmという地球の重力場を脱するだけの高速度を維持したまま、太陽からの重力のみを受けて飛行しており、エンジンをずっと吹かしてきたわけではない。これを慣性飛行と言うのだが、宇宙空間は真空なので減速抵抗が働かず、いったん得た速度はそのままずっと持続するのである（ニュートン力学の最も基礎の「運動の第一法則」）。

なお、「はやぶさ2」はカプセルを放出した後は燃え尽きることなく、新たな小惑星の探査のため、現在も宇宙の旅を続けている。二〇二九～三一年頃に別の小惑星に接近する予定で、新しく探査機を製作してロケットで打ち上げるよりコストを少なくでき、科学的成果も遜色がないと判断されたためである。「はやぶさ2」には過酷な任務を押し付けて何だか申し訳ない気がするが、二百億円以上もかかる宇宙ミッションだから、元気で何度も活躍してくれることが歓迎されるのだ。「はやぶさ2」も勇んで、次の目標に向かって突き進んでいることだろう。

宇宙探査に関する心配ごと

以上のように、小惑星をターゲットとする惑星探査は、「はやぶさ」を開始して以来、準備期間を含めるともう二十年になる。最初のミッションでは、その技術的困難と予算不足で何度も計画の練り直しが行われた。アメリカは近傍の火星探査が主力なのに、大きな困難が予想される小惑星になぜ目標を定めたのか、というわけだ。おそらく宇宙科学研究所の研究者たちは、自分たちが有する遠隔誘導技術の優秀さに自信がある上に、冒険をしなければ世界一になれないと主張して、何とか実現させたのだろう。むろん、「はやぶさ」の成功があってこそ「はやぶさ2」が実現したことは事実であり、多くの人々の賞賛と支持の声があったことがプロジェクトの推進を後押ししたことも確かである。ビッグサイエンスに対する社会の援護が欠かせないことがよくわかる。

いずれにしろ、二回の成功によって、小惑星からのサンプル・リターンは日本のお家芸として世界の認知が得られるようになった。しかし、宇宙探査を行っている宇宙科学研究所が属する宇宙航空研究開発機構（JAXA）は、情報収集衛星（スパイ）の打ち上げなどの軍事的な用務に軸足を移しつつあり、科学のための予算が先細りになりかねない事態が生じている。それが一番の心配事なのである。

（「うえの」21年1月号）

行けども行けども宇宙？

昔からの謎

「星粒を取ってくれろと泣く子かな」という川柳があるように、子どもたちにとって、星は手を伸ばせばすぐ届くと思えるものなのだろう。やがて、星はずっと遠くにあって手が届かないものと覚るようになるのだが、そこで疑問に思うことは「では、星空はどれほど遠くにあり、どこまで続いているの？」ということになる。あの星の向こうには何があるの？　その向こうには何があるの？　そのまた向こうには……と、落語の「浮世根問」で、ご隠居さんが八っつあんのしつこい質問に追い詰められていく場面があるが、皆さんも同じように子どもたちから聞かれて困ったことがおありかもしれない。

実は、「宇宙に果てはあるの？」という疑問は古代ギリシャ時代から発せられてきた問いかけで、現在の宇宙論でも（一応の解答は得られているのだが）最終決着したというわけではない。「宇宙の始まりはどうであったの？」と並んで、時間と空間の端っこについての疑問は大難問なのである。

宇宙に端があるのか、ないのか

古代ギリシャのアリストテレス（紀元前三五〇年頃）は、地球が中心にあって月と太陽を含む七つの星が地球の周りを回っている天動説宇宙を提唱し、一五四三年にコペルニクスが地動説を唱えるまで信じられていた。その時の宇宙のイメージは、地球は土・水・空気・火の四つの元素から成るのに対し、月より上の世界は第五の高貴な元素であるエーテル（きらきら輝くもの）からできており、それが固まった天体が星で、有限の距離のところに恒星が散らばっていて、果てがあるというものであった。なかなか美しい宇宙像である。

この麗（うるわ）しい宇宙に文句を付けたのはストア派の自然哲学者であった。宇宙の果て近くの星の上に立つと、果てには頭がつかえてしまうような壁があるのか、壁は何で出来ており、その向こうはどうなっているのか、という疑問をぶつけたのである。果てがある宇宙についての自然な疑問なのだが、宇宙の果ての壁なんて簡単には答えられない。そこで、壁を取り払って宇宙は無限に大きい、従って宇宙に果てはない、とせざるを得なくなった。しかし、無限という概念は捉えがたく、端っこがないというのは何となく不安な気分にさせるから、なかなか人々に受け入れられなかった。やはり人々は安心立命できる宇宙でありたいと思うのだが、さてどう考えていいのかわからないのである。

無限の宇宙の難問

「浮世根問」でも、果てのない宇宙を避けようと、ご隠居さんは高い塀やどろんこ道で八っつあんが宇宙の果てに到達するのを阻止しようとする。しかし、何でも突破してくる八っつあんだから阻止することに成功せず、追い詰められて結局小遣いをやってお引き取り願うしかなかった。私に言わせれば、ご隠居は「行けども行けども宇宙だ」と答え続け、「それでも行けば？」と問い続ける八っつあんに対し、「やはり行けども行けども宇宙だ」と言い続けて根負けしないことが必要であった。無限の宇宙とは「行けども行けども限りない宇宙」なのだから。

不安だけど無限の宇宙で手を打つことにしたいのだが、無限の宇宙に対して別の難問が生じてしまう。宇宙が無限なら、そこには無限の数の星が存在することになる。すると夜空はぎっしりと星で覆われ、どこを見ても星が重なって見えるはずだ。そして、星の光が足し合わさって夜空は明るくなってしまうのではないかという疑問である。ところが、実際には星はポッンとしか見えず、夜空は暗い。なぜなのだろうか。

星が遠くになると光が弱くなって見えなくなると思われるが、それでは遠くの星がだんだん見えなくなっていくだけだから、星は少なくとも夜空に満遍なく分布するはずである。しかし、そうなっていない。また、星が暗くなっていくのは距離の二乗に反比例する（広がってゆく光の量は表面積に反比例するため）が、星の数は距離の三乗に比例する（体積に比例する）から、それを掛ければ距離に比例して無限に大きくなるだろう。見える星の数は遠くになるほど増えるからだ。宇宙が無限なら、夜空は明るいはずなのである。

反論として、宇宙空間にはガス雲が広がっていて、星からの光を遮ってしまうという説が出された。しかし、実際にガス雲が後ろを隠している場所は観測からわかり、ガス雲など何もないのに星が見えない場所が圧倒的に広がっているから、この説は成り立たない。さて、無限宇宙派も困ってしまった。

難問の解決

結局、無限の大きさの宇宙に無限の数の星がある、と考えるのが間違いらしいことがやっと二十世紀になって明らかにされた。星は無限の時間ずっと輝き続けるわけではなく、寿命があるから輝いている期間は有限なのである。もう一つ、宇宙が膨張しているということもわかってきた。宇宙膨張の速さは距離に比例しており、遠くになるほど速く遠ざかり、さらに遠くでは光の速さ以上で遠ざかる場所がある。空間が伸びているので相対論の制限を受けず、光の速さ以上で遠ざかる場所からの星の光は地球にやって来られなくなるのである。つまり、有限の距離までの星しか見えないのだ。宇宙は無限の大きさであっても見える果てがあり、これを「宇宙の地平線」と呼んでいる。

ここで、相対論をご存知の方は光速以上の運動はないはずなのに、と思われるかもしれないので、寄り道をしておこう。実は、宇宙の場合は空間が伸びていて、積分効果で光速以上になっているのだから相対論の制限を受けないのである。例えば、長さが1mのヒモがあり、10cm

間隔ごとに一秒で10㎝だけ伸びるとしよう。すると、端っこから見るとヒモの先端部は一秒で1mも遠ざかるように見えるが、先端部が1m／秒の速度で動いたわけではない。各場所が伸びた分が積み重なって速く動いたように見えるだけである。50万㎞の長さのヒモがあって、同じように1m間隔が一秒に1mだけ伸びたら、ヒモの端から見れば他方の端は1秒で50万㎞の速さで遠ざかることになる。光速は秒速30万㎞だから、これは光速以上になっている。各場所は1m／秒の速さだが、それが積み重なると見かけ上50万㎞／秒に見えるのである。

地平線の彼方

「宇宙の地平線」に戻ろう。その向こうは光速以上で遠ざかるのだから、光はこちらにやってくることができず、従ってその向こうは見えない。むろん、実際に行くこともできないのだが、どうなっているのか考えることはできる。

最近の観測では「開いた空間」と呼ぶ説が有力である。宇宙には果てはなく、行けども行けども無限に続いているというしかない。開いた空間では、平行線の間隔はどんどん開いていく。だから、開いた空間では何本も平行な線を引くことができる。よく、馬の鞍のような空間が描かれる。しかし、これを子どもたちに語ると質問攻めに遭って、ご隠居さんと同じように行き詰まってしまうから、開いた空間は止めて、もう一つの「閉じた空間」と呼ぶ場合を考えることにするのがよい。

「閉じた空間」とは、球面のような端はないが有限の空間のことである。この場合、地平線を越えてどんどん進んでいくと、やがて私たちの背中に戻って来るということになる。宇宙がサッカーボールの表面みたいな空間であれば、どんどん前へ進んでいくと、ぐるりと一周して元の場所に戻って来るだろう。サッカーボールは二次元球面なのだが、実際の宇宙は三次元球面を考えねばならず、簡単には想像できないのだが同じことが言える。宇宙は有限の大きさだが果て（端っこ）はないのである。こちらの回答だと、子どもたちは安心して質問攻めの手綱を緩めてくれるかもしれない。やはり安心立命する宇宙であって欲しいという心理は、昔も今も、老いも若きも変わらないのは確かであろう。

（「うえの」18年4月号）

フェルメールを巡る三つの謎

フェルメールの作品には珍しく、「天文学者」と「地理学者」の二枚では同じモデルの単身の男性像だけが描かれており、いくつか謎が浮かんできて空想がそそられる。そもそも画家が科学者（自然哲学者と呼ばれた）を描くのは稀なことなのに、なぜフェルメールは科学者を描いたのだろうか？　また、書斎で机に向かい思索にふける学者というパターン化された姿で描いた寓意はどこにあるのだろうか？　そして、これらに描かれたモデルは誰なのだろうか？

この二枚が描かれたのは一六六八年（天文学者）と六九年（地理学者）で、まだ占星術や魔術への信仰は廃れてはおらず、人格神が人の心を束縛していた時代である。そんな時代に、神は客観自然そのものであり、自然の仕組みから神の隠された意図を読み解くのが自然哲学者の仕事、と主張する思索家が現れたとすれば、それは実に新鮮に聞こえたに違いない。フェルメールはその主張をキ

フェルメールの「天文学者」（上）と「地理学者」（下）

ャンバス上に表現できないものかと考え、自然哲学の根幹である天と地から「天文学」と「地理学」を選んだのではないだろうか。そして、描かれた図像から二つの学問の状況を暗示しようとしたのではないか、それが私の仮説である。

天文学はようやく地動説が広まり始めた頃で、まだ宇宙の全容をつかむにはほど遠い状態であった。「天文学者」の背景に描かれている画中画が「モーセの発見」であることから、神話的な世界に心惹かれつつも、天球儀に手を当てて宇宙の実相をその手で捕まえようと焦っているように見える。それに対し、大航海時代を経て大陸や海洋の新発見に湧く地理学において時代遅れとなった古い地球儀は、箪笥の上に引っ越しさせられ、「地理学者」はコンパスを用いて新発見の地を地図に書き込もうとしているかのようである。この二つの絵は見事に二つの学問の状況を反映しているではないか。

では、モデルは誰か？　スピノザ説を主張するフランスの哲学者マルタンは『フェルメールとスピノザ』（以文社）において、「天文学者」の左手人差指が滑らかで完全無欠に描かれていることを証拠として挙げている。レンズ磨きの卓越した職人であったスピノザだからこそ、望遠鏡のレンズをよりよく磨くために非常に細かな研磨剤を使用しており、人差指が鏡のように美しいというわけだ。確かに、自然＝神を主張した思索家で、自然哲学を生涯追い求めたスピノザがモデルであるとするのが正解のような気がする。このような十七世紀の学問の広がりも含めて、知の空想がたっぷり楽しめるフェルメールに乾杯！

（「読売新聞」15年1月1日）

科学から見た芸術

曼荼羅図と天球図

六本木の森美術館で開催された「宇宙と芸術展」を見に行った。印象に残ったのは鎌倉時代から江戸時代にかけての日本の曼荼羅図、そして十七世紀のセラリウスやブルナッチが描いた「天球図」である。いずれも自らが想像する世界のあり様を天の世界に重ねているもので、そこに込められた思いがなんとなく偲ばれるように感じたからだ（一七九六年に司馬江漢は、得意のエッチングで洒落た「天球図」を描いているが、展覧会の図版から判断するとセラリウスのものを模写したようである）。曼荼羅図で深遠に表現される仏教の宇宙と天球図としてさまざまな動物が素朴に描き出される宇宙、図への思い入れは異なってはいるが、いずれも人々の憧れの世界を想像力を駆使して描出しようとしたことが想像される。

曼荼羅は、「常にいませ」るはずの仏の御姿を「うつつならぬぞ悲しけれ」と謡いつつ、「ほのかに夢に見えたもう」た仏の御顔を必死に思い浮かべて描いたであろうことがよくわかる。異次元の存在である仏を表現するために、四角や円形に配置したり、画面狭しと多層的に並べたり、空間に浮かせてみたりして、二次元の図面上に仏そのものの多元性を入れ込む熱い工夫をしている。よく曼荼羅はフラクタル図形（マトリョーシカ人形のように同じ姿の像が入れ子になっている図形）を先取りしたものと言われるが、それは八百万の仏教的世界観が入れ子構造となっていることの現れだろう。と同時に、入れ子構造の世界を先取りして描いた曼荼羅図は、物質世界の成り立ちを描いた「科学的宇宙図」の走りと言えるかもしれない。

一方、西洋では太陽が通る道（黄道）に沿って十二宮が並んでおり、その象徴的図柄が太陽の運行図の背景として並べられ、人々の宇宙への関心を高めてきた。天の十二宮は占星術に使われて自分の行く末を宿命のごとく思いつつも、天と地の照応関係を読み取って自分の運命を予言する道しるべともなった。天球図が描かれた十七世紀は大航海時代の盛りであり、時恰も近代科学が胎動し始めた頃であった。過去の古い衣を脱ぎ捨てて新しい可能性を秘めた別の衣に着かえ、未知に挑む意欲が広がる兆しが見えてきた時代と言えよう。その意味で、天球図には人を奮い立たせるような「勇気」が隠されているように感じるのは私だけであろうか。

こうして見ると、東洋的な曼荼羅図も西洋的な天球図も、科学に鼓舞された未知の世界像をなんとかして描き出そうとしたものと言えるのではないだろうか。

時空の概念を芸術はどう表現するか

宇宙論とは、宇＝時間、宙＝空間、を論じる学問である。実際には、時空は直接目に見えないから、時間と空間という舞台の上で展開する物質の振る舞い（成り立ちや広がりや運動や変化）を通じて時空を認識するしかない。それに応えようと、物理学者は直観的な形で表そうとするのだが、正確さにこだわってしまうのでナイーブな表象を描くことができない。そこで芸術家にお願いして卓抜な表現を期待するのだが、なかなか誰もが納得し感心するような作品にはならない。その理由は、芸術家は科学者の難解な概念に辟易して思い切った冒険ができず、科学者は芸術家の無理解に閉口して作品を切り捨ててしまうという傲慢さがあるためだろう。これでは科学と芸術がすれ違うばかりで、互いに理解し合うことにならず誠に残念である。

そこで僭越なのだが、実際になかなか具体的な像として想像できず、従って芸術作品としても創造されない時空の概念に、一体どのようなものがあるかを考えてみよう。

まず、最も単純かつ最も難解なものに「ビッグバン」がある。時間も空間も物質もない「無」の状態から、時間と空間が発現して、そこに物質が姿を現す過程である。この場合、そもそもまず「無とは何か」と問わなければならない。そして、「無」が突然「有」に転化する(「空即是色(くうそくぜしき)」)ことを考えねばならない。どだい無理な注文である。

これまで(私も含めて)誰もが、ビッグバンについて火薬が爆発して火玉が大きくなっていく様を描いてきたのだが、それが正確さに欠けることは確かである。そもそも既に存在している空間に火玉が膨らんでいくことになっているからだ。ビッグバンを外から見た図柄にするのがよくないので、自分が火玉の内にいて動ける空間が広がっていくというふうに描けたら、少なくとも空間が生まれていく感じが出せると思うのだが、想像力豊かな芸術家なら、さてどう表現するだろうか。

ビッグバンの時点では時間もそこから生まれたことになっているから、「ビッグバンの前はどうなっていたの？」とよく問われるが、「ビッグバンの前は無い」としか言いようがない。というのは、前があるためにはそこにも共通した時間が流れていなければならないが、時間はビッグバンの瞬間に誕生したのだから、共通した時間はそれ以前には存在しないからだ。この場合はホーキングさんのアイデアを借りて、ビッグバン以前は「虚数時間」が流れているとし、私たちの知っている「実時間」と直交するような時間へとつなげればいいと、わけのわからないことを言うしかない。そもそも、虚数時間だから二乗してやっと実数の仲間になるが、負（マイナス）の時間にしかならず、そんな頼りない時間でしかないのである。だから虚数時間を持ち込んでも、なにかがわかった気にはなりそうにない。

もう一つ付け加えておくと、私たちの宇宙は、空間的に四次元で働いている重力が三次元空間に射影されたものであるとする「ブレーン宇宙論」が提案されて久しいのだが、四次元の空間の三次元空間への射影と言ってもなかなかピンとこない。私たちは三次元空間に住んでおり、その二次元（つまり平面）への射影は具体的にわかるが、次元を一つ上げるだけで途端に想像できなくなってしまう。ましてや、超ヒモ理論では空間は十次元とか十一次元だそうで、およそどのような空間なのか見当もつかない。多次元空間をわかりやすく理解する方法はないものかと思案するが、これについては何も思いつかない。

というふうに、つかみどころのない時空をいかに表現し、人々にわかった気にさせるかは、科学にとっても芸術にとっても至難の課題である。一枚の紙の上に描くのを諦めて、何枚も紙を重ねて時間や空間の多重性を表わすのは一つの方法だと思うが、そうなると触ったり、めくったり、透かして見たり、隣りと紐で結んだりして、単なる展示ではなくパフォーマンスとセットでなくてはならない。実際、絵画芸術はそのようなものに変わっていくべきなのかもしれないのだが。

人間の科学性と非科学性

ルネ・マグリットの絵に「ピレネー山脈の城」という作品がある。頂上に城がある巨岩が空中に浮かんでいる図なのだが、それを見たとき私は思わず、この岩が落下しないかと考えてしまった。もし、この巨岩の下に人が座っていたら、その人は下敷きになってしまわないかと恐怖を感じたものである。やがて、すぐにこんな巨岩が空中に浮かんでいるはずはないと気づき、これはビニール袋に水素を詰めて空中に浮かしたおもちゃと見做すことにした。人々をびっくりさせるためにマグリットが仕掛けた悪戯(いたずら)だと解釈するのだ。つまり、人は物体が岩のように見えると、それによる重量を知らず知らずのうちに測っており、その大きさに従ってどうなるかというふうに図柄の意味を解釈しているのである。そう考えると、見るだけで重さを感じ取る人間は、極めて科学的存在であるのかもしれない。

しかし、それを逆手にとって人間を混乱させる芸術作品も存在する。川の水の流れを見れば私たちにはどちらが上流でどの方向に流れているかがわかるが、エッシャーの「滝」では、水は永遠にぐるぐる回り続ける。「物見の塔」では部屋の縦横が直交したバルコニーになっていて現実には不可能だし、「無限の追及」では階段をいくら登っても同じ高さを巡るだけである。このエッシャーの「だまし絵」は、どこかおかしいと思っても、具体的になぜそうなのか指摘しにくい。極めて自然に描かれているからだ。人間の観察眼の非科学性を目の前に突きつけていると言うべきかもしれない。これと似た、見えている形が実物とは違って見える「錯視」という現象もあり、大脳の過剰な働きによる目の錯覚らしいが、それも人間の科学性を疑わせる。つまり、見えている姿や形がそのまま真とは限らないのである。

このように考えると、人間の判断だって科学的であるかどうか疑わしくなってくる。人間は簡単に騙される存在で、科学的にできている存在ではないようなのだ。そのことを突き詰めれば、科学の根拠を疑わせることに繋がる可能性もある。そうだとすると、これまで積み上げてきた科学を後生大事に守る必要はないのである。言い換えれば、芸術は科学のことを気にすることなく、もっと胸を張って自由に世界を構築すればよいと言えよう。とは言え、抽象画ではなく具象画で人間の非科学性をひきだす作品は案外難しいのかもしれない。

（16年10月記）

司馬江漢と「名利の檻」

銭湯のペンキ絵

関東の銭湯には「白砂（はくさ）・青松（せいしょう）・富士の山」のペンキ絵が描かれているのが定番である。白雲が浮いている青空を背景にして遠くに白雪の嶺の富士が聳（そび）え、その裾の方から紺碧の海が手前に広がり、すぐ目の前には白砂の海岸に松林が連なっている、という銭湯画のパターンのことである。近景から遠景までを一望にする雄大な風景に、湯殿までもが大きくなったような気分になって、湯に浸かる人もゆったり景色を楽しめるというわけだ。

このペンキ絵が銭湯に描かれるようになったのは一九一二年（大正元年）のようだが、実は偉大な先輩がいる。司馬江漢（一七四七〜一八一八）で、一七八八年の長崎旅行の途中で駿州（静岡）から見た富士の姿がいたく気に入り、この「白砂・青松・富士の山」のパターンの絵を数多く手掛けているのである。もっとも室町時代の雪舟（一四二〇〜一五〇六？）が水墨画で同様の図柄の「富士三保清見寺図」を描いていて、江漢は雪舟の図柄を参考にしたとされている。

しかし、江漢は、富士の図において会得したばかりの洋風画の遠近法と色彩技法を存分に駆使しており、風景画の新機軸を開いたと言われている。というのは、遠景の富士を大きいが茫漢と、近景の岩山や松の木などは写実的で詳細に、というふうに対比的に描いて遠近を表現する技法は江漢が秋田蘭画（らんが）から学んだエッセンスで、富士の絵でこの技法を完成したのである。この構図は広重の東海道五十三次や北斎の富岳三十六景など浮世絵の名作に受け継がれ洗練されていった。このように見ると、銭湯のペンキ絵は「白砂・青松・富士の山」のありふれた図と軽く見られるが、江漢という優れた絵師の息吹が感じられるのではないだろうか。

江漢の人となり

ところで、司馬江漢という名から中国人と思われるかもしれないが、彼は歴（れっき）とした日本人で、芝の生まれの江戸っ子である。彼は日本において洋画を開始した一人であることは確かで、「日本最初の洋画家」と呼ばれる高橋由一（一八二六～一八九四）自身が、一八七七年の第一回内国勧業博覧会の自筆出品作品の解説に、日本の洋画の起源は「天明年間司馬江漢を祖とす」と書いている。そして、高橋由一が、会ったこともないのに、いかにも見てきたような司馬江漢の肖像画を残しているのは、彼への傾倒ぶりを表しているかのようである。

このように後世に高い評価を受けている司馬江漢は、毀誉褒貶（きよほうへん）半ばする人物で、大言壮語して自らの業績を大きく吹聴する一方、封建制を批判し、迷信や宗教を拒否する合理的な人物でもあった。絵師としての実力は文句なく、天才であるのは確かだが、官に就いたり大名の世話になったりすることなく、一生野にあって卑俗であることを恥としなかった。十五歳のときに父が亡くなって、母一人子一人の環境になり、早く一人前になって母に楽をさせたいと心に決めた。そのためには「名利」を手にすること、つまり有名になって名を挙げ、利得を得ることを人生の目的とする決意をしたのだが、そのためにかえって「名利の檻」に捉われた一生でもあったとも言えそうである。

江漢の絵画修行

江漢は幼い頃から手先が器用で、十歳の頃に達磨の絵を描いて絵の上手な伯父さんに見せて褒められた、ということを回想記の『春波楼筆記』（一八一一年、以下『筆記』と略す）に自慢げに書いている。早く自立したいと願い、そのためには手に職をつけるのが一番と考え、刀作りを考えたが、人を切り殺す道具作りは嫌だし、目貫や脇差の職人を目指そうとしたが、名人上手が沢山いて競争が厳しいと敬遠した。「名利を得る」には作戦が必要なのである。

結局、江漢が選んだのは伯父さんに褒められた絵師になることであった。『筆記』には、最初（一七六三年頃）「狩野古信について学んだ」とあるが、どうもこれは怪しい。狩野古信（一六九六～一七三一）は江漢誕生以前に亡くなっているからだ。とはいえ、江漢の画風には大和絵の筆法を習得したことが窺われるから、あまり有名でない誰かから手ほどきを受けたのは確かで、見栄を張って狩野古信の名を出したのだろう。器用な江漢のことだから飲み込みが早く、基本的な技法は短期間でマスターしたと推測される。

続いて、「和画（日本画）は俗っぽいと思ったので、宋紫石に学んだ」と『筆記』にあるように、師匠として選んだのは「南蘋派」と呼ぶ漢画の画法を身に付けた宋紫石（一七一五～一七八六）であった。宋紫石は山水・花鳥画が得意で、平賀源内が主宰した物産会で展示した物品カタログである『物類品隲』（一七六三年）の挿絵を担当している。江漢は有名人である宋紫石については何も書いていないが、漢画の手法をしっかりと会得したことは、その次に修行した浮世絵の作品を見ればわかる。

江漢が弟子入りした浮世絵修行の師匠は、細見の可憐な美人画を得意とし、木版多色刷りの錦絵の誕生に大きな寄与をした鈴木春信（一七二五？～一七七〇）である。当時、人気が高まりつつあった浮世絵を、江漢は「名利」を手にする最も手っ取り早い道と思ったのかもしれない。事実、江漢は水を得た魚のように腕を上げ、鈴木春重という名で、いくつも師匠譲りの見事な作品を残している。それだけでなく、春信の偽物を描いたのだが偽物だと誰にも見抜かれなかったと自慢しているほどである。春重の作品として秀作とされるのは、マスターしていた漢画の彩色法をつかった美人画で、薄物の衣に裸体が透けて見える妖艶な絵を残している。そのまま浮世絵を続けていても、ひとかどの浮世絵師になったことは確実だろう。

こうして江漢は、大和絵、南蘋画、浮世絵と、三つの異なったタイプの画法を習得している。才能に恵まれた江漢ならではのことなのだが、それに飽き足らず、三十歳を過ぎてからさらに自分として独自の路線を打ち出せる新機軸に挑戦し始めたのである。

江漢の挑戦

江漢が挑戦した新機軸とは、日本で最初に洋風画を定着させたこと（一七七五年頃）、そして日本における最初の腐蝕銅版画（エッチング）を製作したこと（一七八三年）なのだが、これらについては江漢のこれまでの絵画修行も含めて、平賀源内（一七二八〜一七八〇）が一役買っており、彼との関係に触れておかねばならない。

源内が一七五六年に坂出藩から江戸に出てきたときの借家の家主が鈴木春信であり、また宋紫石が一七五九年頃に江戸に出てきたとき、源内と懇意な杉田玄白の近所に住んだらしいから、源内は春信や紫石とは旧知の間柄であった。江漢が春信や紫石に教えを請うたのは事実だが、当時はまだ無名の江漢だから、わざわざ源内が江漢に紹介したとは考えられず、偶然であろう。

一七七一年頃、どういう機縁があったのかわからないが、江漢は源内に誘われて秩父に鉄山開発の調査に出かけている。源内が、山を見て地中に鉄や金や銅などが埋まっていると鑑定する「山師」の仕事を請け負っており、当たらないことも多かった。実際、この鉄山開発は「大しくじり」だったから、江漢は源内の鉱山発見の能力は信用しておらず、まさに「山師」と見做しているのだが、他方では源内のオランダからの渡来品を珍重するセンスを高く買っていた。

その一つが洋風画である。源内は一七七〇年の二度目の長崎旅行の際、西洋伝来の油絵の顔料を手に入れて陰影法や遠近法の基礎理論を学んだらしい。源内作と伝えられる「西洋夫人図」が残されていて、まだ遠近法も陰影のつけ方も素人っぽいが、なかなかコケットで魅力的な絵に仕上がっている。源内は見様見真似で洋風画に挑戦したのだろう。

その源内が一七七三年に鉱山開発のために秋田に出かけたとき、秋田藩主の佐竹義敦（曙山、一七四八〜一七八五）に洋風画に関する知識を伝授して、いわゆる「秋田蘭画」が誕生するきっかけを作ったのである。さらに源内が角館で発見したのが小田野直武（一七四九〜一七八〇）の才能で、直武は源内から洋風画の基礎知識を学ぶとともに、一七七三から江戸に出て絵画修行をして腕を上げた。その成果が、一七七四年に刊行された『解体新書』の木版図譜の下絵を、玄白から任され見事に仕上げたことである。

直武はこの頃、宋紫石から南蘋派の細密描写も学んでおり、そこで江漢と知り合って洋風画の技術を江漢に教えた可能性がある。また江漢と曙山が合作したとされる「西洋男女図」（曙山が死亡した一七八五年以前の作品）があり、江漢は秋田蘭画と関係があったのは確実である。つまり、日本における洋風画の導入・確立は、源内から直武や曙山への教授による秋田蘭画の成立、直武や秋田蘭画からの江漢の学習、最後に江漢独自の工夫の加味、といった一連の過程として捉えられそうである。

ところが、江漢は自分が洋画を学んだのは西洋人からであると書いていて、自分より年が若い直武や秋田蘭画については一切何も書き遺していない。江漢の名誉心や自尊心から成せる業で、自分こそ日本における洋風画の創始者であると誇示したかったため、片田舎の秋田の人間から洋画を学んだことを一切口にしなかったのだろう。歴史の歪曲である。江漢はやはり「名利の檻」に捉われていたことは確かなようだ。

もう一つ、源内が撒いた種に銅版画がある。江漢は『西洋画談』（一七九九年刊行）という著作において、平賀源内が銅版画に興味をもち、数百枚手に入れて日本で売ろうとした、と書いている。さすが源内は目が高く、銅版画を日本に紹介しようとしたのだ。しかし、腐食銅版画を作成する方法がわからず、そのまま放っておいたものらしい。江漢も、オランダから来たヨンストンの『鳥獣図鑑』やドドネウスの『植物図鑑』に使われている銅版画の美しさと正確さを目にして魅了され、自分もこのような精妙な図柄を表現したいと思うようになった。そこで調べると、ショメールが書いた『日曜家庭百科辞典』に銅版画制作の手順が書かれていることがわかったが、江漢も源内と同様にオランダ語が読めないのである。

実は、江漢は前野良沢（一七二三～一八〇三）に弟子入りしてオランダ語を学ぼうとしたのだが、じっくり外来語に取り組む江漢ではないし、良沢も自分のオランダ語研究の方が大事で、弟子に教授する気がなかった。結局、江漢は良沢の弟子と言いながらオランダ語に関しては素人同然のままだったのである。そこで語学の秀才である大槻玄沢（おおつきげんたく）（一七五七～一八二七）の手を借りることにした。腐蝕・彫刻・印刷の各段階についてのオランダ語の解説を玄沢に読み解いてもらいながら、江漢はその工具・材料・技術を工夫して何とかモノにしようと努力したのである。江漢の絵画に対する嗅覚と執念と才能が揃っていたからこそ成功したのは事実だろう。

司馬江漢の「三囲景図」（1783年）

「名利」への執着の賜物とも言える。このように腐蝕銅版画技術は、源内が種を撒き、玄沢が解読し、江漢が技術を完成させたということになる。

日本最初の銅版画の作品は、一七八三年の「三囲景図（みめぐりのけいず）」で江戸墨田川の三囲稲荷付近の景観を描写している。木々の姿、遠くの小山、道行く人々、川を渡る小舟など、西洋風の光景が遠近法を駆使して描かれた素晴らしい仕上がりである。翌年の『広尾親父茶屋図』から「日本創製司馬江漢画」と麗々しく掲げるようになった。銅版画には非常に細かな線と多くの色彩を駆使しており、眼鏡絵（平面に絵を置いて、その上に四五度の角度で設置した鏡に映し凸レンズで拡大して覗いて見る絵）では実に美しく大きく展開して見えるので大評判となったようである。

江漢は長崎旅行（一七八八〜一七八九）において窮理学の面白さに目覚め、その後に世界地理や地動説の啓蒙のための活動を行うようになったのだが、そこで有効に使ったのが銅版画による天球図・地球図・地動儀図で、人々を驚愕させる手法であった。眼鏡絵を通して太陽の周りを回る惑星や五つの州に色分けされた世界地図から、直接目に見えないと思っていた地球や宇宙の姿を目の当たりにし、人々は自分たちを取り巻く全体世界の多様性に目が開かれたのである。江漢の銅版画の創製は日本の美術史上での画期的功績であるとともに、窮理学（科学）に対して人々に多大な興味を抱かせることにも貢献した。最初に述べたように、江漢はこの時代に数多くの富士の絵を、洋風画・大和絵・漢画で描きわけており、このような業績によって、まさに江漢は「名利いずれも」を獲得したのである。

しかし、銅版画においては松平定信の庇護を得た亜欧堂田善（あおうどうでんぜん）（一七四八〜一八二二）が江漢の技量を明らかに上回り、より精妙で完璧な図を提供するようになり（田善は「大日本創製」と自称した）、一八〇五年に江漢は銅版画から一切手を引いてしまった。そして、以後は淡彩や水墨による地味な絵でお茶を濁すようになった。奔放な絵師としての自分の経歴に終止符を打ったのである。「名利」を十全に得たという満足感があったのだろうか、それとも「名利の桎梏（しっこく）」から卒業したとの悟りを得たのだろうか。

（「歴史街道」20年10月号）

天災と日本

日本が天災の多い国であることは、誰もが知っている。地球の表面上での日本列島の特殊な位置が特殊な気象変化をもたらすとともに、地球内部に起因する日本列島の成り立ちとも関係していて、これら二つの要素が二つの性格の異なった天災を引き起こす原因となっているのである。一方で、それが日本を風光明媚で温泉が溢れる国としているのだから、良いとも悪いとも言えず、そのような変化の大きな環境下に日本列島があるということなのだ。

大陸の東側

日本列島は、広大なユーラシア大陸の東側にあって太平洋が南東に大きく開けているという地理上の特別な位置にあり、そのために天災を呼び寄せやすくなっている。

陸と海の間には、昼間は海から陸に向かって風が吹き、夜は陸から海へ風が吹くこと（これを「海陸風」という）は、海辺に住む人々にはよく知られている。それぞれ、温度の高い方（昼間の陸、夜の海）の空気が上昇するため気圧が下がり、温度の低い気圧の高い方（昼間の海、夜の陸）から空気が流れ込んでくる現象である。これを大掛かりにしたのが、夏に海から大陸へ湿気を多く含んだ風が流れ込む「梅雨」で、時に集中豪雨となって山崩れや洪水を引き起こす。

冬には大陸からの寒風が吹き出し、温度の高い日本海から蒸発した水分を日本列島に運んでドカ雪が降り、北国は半年間雪に閉ざされることになる。

さらに、南太平洋で発達した熱帯性低気圧が地球を北上するうちに台風へと発達し、大陸から吹き出す偏西風に押されて進路を北東に変えるから、日本列島は秋台風の通り道となる。そのため、農作物の収穫期に甚大な被害をもたらす。こうして季節を問わず気象災害に襲われるため、お天気を気にする体質が日本人の国民性に沁み込んでいる。変化の激しい空模様と付き合って、翌日の作業の手順を考えねばならなかったためだろう。

「禍福はあざなえる縄のごとし」で、夏の梅雨や冬の大雪は、夏に育つ農作物に欠かせない農業用水の補給となり、農産物や果樹栽培などの陸の幸を豊かに育む根源である。地球回転によって引き起こされた海水の表面循環によって、南太平洋から北上してくる暖流の黒潮（と親潮）と、北極海から南下してくる寒流のオホーツク海流が日本付近でぶつかることから海の幸も豊かである。日本列島の地政学的な位置が、お天気のように移り気な日本人の気質を作ったのは確かであろう。

プレートの集中

他方、地球表面は、何枚かのプレート（岩盤）と呼ばれる板状の岩石塊に覆われていて、それらが互いに動くプレート運動が生じている。巨大大陸の端っこは、大陸の底に広がる軽い岩石のプレート（岩盤）に対して海の底に広がる重い岩石のプレートが潜り込んでいる場所である。日本列島は一千万年くらい前、地球上のあちこちに分散していた島や半島が海底の四枚のプレートに乗って運ばれ、プレートが大陸の底に潜り込む場所でそれらが取り残されて成り立った集合列島である。

このような大陸の端の海底でプレートがぶつかり合ったり、互いに潜り込んだりする運動は今もずっと続いており、それによって地震が頻繁に起こり、活発な火山活動が引き起こされている。日本列島が地震と火山の巣であるのはこのためである。さらに、海面下の岩石破壊が引き金となって生じた大津波に何度も襲われてきた。日本列島が大陸の東端にあるという地理学的な条件が、このような天災が多い理由でもあるわけだ。大地震や大津波は、数千人規模の甚大な被害をもたらす大災害になるのだが、五十〜百年間隔なので、いつも「忘れた頃にやってくる」ことになる。

天災に見舞われた後しばらくは防災や減災のための手を打つのだが、世代も変わっていくうちに便利さや経済性を優先して、天災の襲来を忘れてしまう。そしてまた、同じような天災に襲われて被害を受けることを繰り返すのが実情であった。日本人のすぐ熱くなってすぐ冷める気質や、その場を取り繕ってコトが治まるとすぐに忘れしまう無責任体質は、どうせ又天災に襲われすべての財産を失ってしまうのだからという諦念が心のどこかに摺り込まれているためかもしれない。風土が国民性を規定しているのである。

天災の変化

しかし、近年の天災は少し異なってきているような気がする。

一つの変化は、集中豪雨や台風に襲われたときに降る雨の量が半端でなくなり、かつての一カ月分が一日で、一日分が一時間で降る、なんて極端なケースが稀ではなくなったことだ。これに歩調を合わせるかのように、雨量や風速がケタ外れに強い台風が増えている。地球温暖化の効果は気象異変を極端にする方向に働き、大雨によるがけ崩れは数が増えて大規模になり、河川の氾濫・洪水は毎年どこかで起こるようになった。

私は、このような天災の被害は「環境圧」のためと言っている。地球温暖化によってさまざまな自然災害が多発して被害が甚大となり、そのため環境の修復や整備に多大な経費をかけねばならなくなった。つまり、欲望にまかせた私たちの自堕落な生活がもたらす環境の悪化が、私たちに圧力をかけるようになっている、というものだ。あたかも意志を持っているかのように、痛めつけられた環境が私たちに復讐し始めているのである。その具体的な兆候が表れ始めたのではないだろうか。

今、「国土強靭化計画」なる、百年以上びくともしない堤防で河川を封じるという新しい公共事業が考え出されているが、果たしてそれは実効的なのだろうか。現実には、国土強靭化は金がかかるから手が付けられる河川は限られ、工事対象から外れた中小河川が氾濫を起こしており、また思いがけない場所で濁流が生じて山崩れが起こるようになっている。それらの手当てにも経費を割かねばならないから、モグラ叩きのような状況にある。さらに、堤防を強化し、山崩れ防止の工事を施すべき箇所は数限りなくあり、ダムの設置はかえって被害を大きくしている場合もある。強靭化というような自然との力比べに集中せず、荒ぶる環境をおとなしくさせるための知恵が、今求められていると言える。

もう一つの変化は、日本のあちこちで地震が頻発して家屋の倒壊が起こっており、もはや「天災は忘れる間もなくやってくる」状況になりつつあることだ。「関東地震」が起こってから九十八年、「東南海地震」と「南海地震」が引き続いて起こってから七十七年〜七十五年が経ち、東京が（直下型？）大地震に襲われ、南海トラフが動くのも近いと言われている。日本の大地が静穏な時代は過ぎ、「大地動乱の時代」を迎えているのは確かで、私たちは天災としっかり向き合わねばならない状況なのである。しかし、原発の再稼働を次々と行っているように、政府は自分の世代の間には大地震は起らないと自らを信じ込ませているようで、天災が頻発する覚悟ができていないことは確かなようである。日本は天災亡国となるのであろうか。

防災のポイント

天災は、いつやってくるかわからないが、必ずやってくるのは確かである。そして、天災は必ず犠牲者を生むことも確かである。いかに犠牲者を少なくするかが問題であることは言うまでもない。むろん、私たち自身の自己防衛（非常食や持ち出し品の常備、避難経路や避難先の確認・確保）は必須だが、それとともに避難過程で引き起こされる悲劇（高齢者・病人・身体的弱者が見捨てられ、災害関連死を被ること）を少なくするために、地方自治体（役場・区役所・市役所など）を先頭にして、政府・公的機関が避難・救済・生き残り体制をしく必要がある。地方自治体こそ、最も手近にあり、最も現場をよく知っているから、私たちが頼り、要求でき、対策を取る主体でなければならない。政府はそのバックアップをするというすみ分けが必要である。

つまり、日常的に近くの役場の人と仲良くし、要求を出し合い、問題点を共有し合えているかどうかが防災のポイントと言える。地方自治体も政府からの締め付けを撥（は）ねつけて、また上からの指示を待つ姿勢ではなく、主体的に、住民と柔軟に対応して伴走することを心がけるべきであろう。それこそ東北大震災や阪神・淡路大震災で学んだことなのだから。

（「うえの」17年8月号）

モノサシが変わるということ——単位の歴史が意味すること

モノサシの最初——人体を使う

人は幼い頃から、例えば近所の人からもらったリンゴがこんなにでっかかったと、両手を丸い形にして大きさを示したり、野球のボールと比べたりして、聞いている私たちに想像させようとする。ある物の大きさ（サイズ＝長さや体積）を表現するのに、手で形を作ったり、比較できる物を喩えに使ったりするのである。自分の体や身近な物を使ってこれくらいと表現すればわかりやすいためだ。自分が指し示したい物を表わすために、誰にもわかる指標を使う。人類が物体を測る（計る、量る）ようになった最初は、きっとこのようなものだったのではないか。

農業を開始して定住生活を行い、余剰の物質の物々交換を行うようになったとき、交換する物質の価値を比較するために、互いに共通した尺度で客観的に物の大きさや重さや分量を測るようになった。その尺度が「物」を「測る」基準、つまり「モノサシ」である。例えば長さを表す単位として、最初は大人の体が使われた。親指の太さの幅がインチ（日本では「寸」）、つま先からかかとまでの足の長さがフート（複数がフィート）、肘から中指の先まで長さがキュービット（「肘」という意味）、胴回りの長さがヤード（「小枝」という意味）という具合である。かつて「モノサシ」の漢字として「物尺」が使われていたのは、四本の指を伸ばし親指を横に広げた手の形の象形文字が「尺」であるためらしい。

人体から自然物に

しかし、同じ大人でも手足の大きさや背の高さが違うから、客観的な単位と言えないことは明らかである。紀元前三世紀頃に中国を統一して万里の長城を作った秦の始皇帝は、何事も統一することが好きだったようで、貨幣や道路幅や書体などとともに、誰にも共通する単位の統一化を図った。彼は、黒黍（くろきび）の粒をある個数一列に並べて長さの単位として「度」、その長さを基準にして寸法を決めた箱（枡）で体積の単位を決めて「量」、その分量を重さの単位として「衡」、というふうに度量衡（どりょうこう）の単位を定めたのである。こうして、自然物の黒黍を使い、大きさが揃った粒を選んで並べて長さの単位を決めると、客観性が高くなり、信用度が上がるというわけだ。

物の大きさを測るとは、実際の長さが基準単位の何倍であるかを数えることである。そこで、黒黍の粒一〇〇個を一列に並べ、その長さのヒモを作るという工夫がなされた。ヒモにすると、いくつも作れるので誰もが共通して持つことができるし、何本もつなぐと何倍も大きい物の大きさが測れ、何分の一かに切れば小さい物も測れることになる。こうして物の長さを測る道具としての「物差し」が発明されたのである。

自然物から人工物に

国家が統一されると地域ごとに度量衡が異なっていては不便だし、ヒモのようなものでは伸縮しやすいので誤魔化しやすいという欠点があった。そこで、十四世紀頃になって、国王が命令して長さの基準の物差しとして伸縮しない金属を使い、それに合わせて体積や質量の基準となる枡や分銅も金属製にして全国に配布することにした。より客観性を高めたのである。

おもしろいのは、円筒形の容器一つで、度＝長さ（深さや直径）、量＝体積（内部体積、内容積）、衡＝質量（そこに満たした水の量）の、それぞれの基準に使えるようにしたことだ。さらにいくつもの大小の円筒形の容器を組み合わせると、さまざまな度量衡の基準を定めることができるようになった。また、各円筒の内容積が順に石・斗・升・合と呼ぶ体積の単位を表わすようにした。石は一人の人間が一年に食べる米の量、斗は石の十分の一、升は斗の十分の一、合は升の十分の一である。昔は俵に米を入れて運んだが、俵には四斗（60kg）の米が入っていた。これらは私が子どもの頃に使っていた米の量を測る単位で、何か懐かしい感じがする。

原器の登場

一七八九年のフランス革命は、国王の権威による恣意的な単位を否定し、客観的に測れる物質を基準にして度量衡の単位を定める契機となった。メートル法の誕生である。長さの単位の1mは地球の子午線一周の長さの四万分の一で、質量の単位の1kgは一辺の長さが10cmの立方体の容器に入れた摂氏四度の純水の質量と定義することになった。客観自然の物体を単位の基準としたのである。伸縮や錆（さび）がしにくい白金・イリジウム合金製の「国際メートル原器の棒」と「国際キログラム原器の分銅」が製作され、そのコピーが世界に配布された（一八七九年世界度量衡会議）。これによって、地球全体に共通する客観的な長さと質量の単位が決まったのである。

時間の単位

ここまでは度量衡と呼んできたが、量（体積）は度（長さ）の三乗のことだから、長さの基準を定めれば自動的に決まる。その代わりに入って来るのが、物質の運動の記述に欠かせない時間である。動くとは時間とともに位置（基準点からの距離＝長さ）が変化することだから、変化を記述するための時間を考慮しなければならない。時間の単位の決め方は、決まった長さの振り子の振動周期とか、地球の自転周期とか、水晶（クオーツ）の振動周期というように、より規則的な周期運動が選ばれ、それに応じた国際時間原器が採用されてきた。そして、最終的には一九六七～六八年の国際度量衡会議で、セシウム原子が放つ光の周波数を測ることで時間の単位を定めるようにした。光は振動しながら伝わる波（電磁波と言う）で、周波数（＝振動数）とは一秒あたりに波が振動する回数だから、何回振動したかを数えると、その間に経過した時間を測ることができる。その振動回数を数える機械が原子時計で、およそ百万年に一秒しか狂わない時計として、時間の単位を定める原器となっている。

基本単位

このように、物体の運動を記述する基本単位である長さ・質量・時間の基準（基本単位）を決めると、物質（正確にはマクロな物質）の力学運動を過不足なく記述できる。力学に登場するどのような物理量もこの三つの基本単位に分解できるからだ。また、面積や体積は長さから、密度は質量と長さから、速度は長さと時間から、というふうに、三つの基本単位の組み合わせから作られる単位が定義できる。それを組立単位と言う。それ以外に、熱や温度に関わる現象（熱力学）、電気や磁気に関わる現象（電磁気学）、原子の世界に関わる現象（原子物理学）、光度に関わる現象（光学）、の四つは右の三つの基本単位では表すことができず、別の四つの基本単位が存在するが、ここでは省略する。

三つの基本単位に対して、長さは国際メートル原器（それに刻まれた二本の線の間隔）が、質量は国際キログラム原器（それ自身の質量）が、そして時間は原子時計（セシウム原子から放出される電磁波の振動数の数）が、それぞれの単位のモノサシとなった。原器の品質の劣化や周囲の温度・湿度などによる微妙な変化も生じるから、誤差が生じることは避けられない。そこで、より誤差の少ない方法へと変えていくのが現在の計量学の課題となっているのである。

基本定数からモノサシを決める

自然界には、基本定数と呼ばれる永久不変と考えられる物理量が存在する。例えば、真空中を伝わる光の速さは、秒速２９９,７９２,４８２ｍと定められていて、これを基本定数と呼んでいるが、実際に測定して光速を決めているから必ず誤差が付随する。一方、原器に入れた二本の線の間隔で単位の長さを決めていたのだが、その線の太さをいかに細くしても有限の太さだから誤差が出てしまうし、原器の伸縮もある。この誤差が、「長さ＝光の速さ×原子時計で決めた時間」として定めた単位の長さの誤差より大きくなってしまったのだ。そこで、一九六〇年の国際度量衡会議で、正式に国際メートル原器を廃止して、光速度と原子時計を組み合わせて得られる紙の上の式を長さの単位とすることになった。原器を使わず、基本定数の組み合わせから長さの基本単位を決めたのである。

次のモノサシの変更は質量

もう一つの質量には長い間国際キログラム原器をモノサシとして使っており、同じように基本定数を使って、原器より誤差が少ない質量の決定法はないものか、と検討されてきた。そこで提案された方法は、相対性理論と量子論という最先端の物理学を応用するもので、以下のように少々難しい説明が必要になる。

相対性理論では、$E=mc^2$（c^2は光速度の二乗）という式で表されるように、質量ｍとエネルギーEは等価であることはご存知だろう。原爆や原発で、ウランなどの核物質の質量がエネルギーに転化する原理である。一方、光は量子論の立場で見ると、粒々の粒子の集団であり、そのエネルギーは$E=h\nu$で表される。hはプランク定数と呼ばれる基本定数で、νは光の振動数である。この二つの式を組み合わせると、$E=mc^2=h\nu$だから、質量は$m=h\nu/c^2$と求められる。原子から放出される特定の光の振動数νを指定すると、プランク定数hと光速cの基本定数で表される。これらの誤差が原器の誤差以下にできるなら、この式を使って質量の基準を決める方がよいことになる。何しろ、原器では指紋一個分の質量の変化が誤差に入ってしまうくらいの高精度だから、それ以下にすることは至難なのだが、それが成功したのである。そこで二〇一九年五月より、国際キログラム原器を廃棄して、基本定数を用いた質量の定義を新しいモノサシとして採用することになったのだ。

モノサシが変わることの意味

私たちの日常生活では、これほどの精度は不必要なのだが、最先端の科学ではより誤差の小さい単位で計った方がより正確な値が得られるから、原器という人工物から、基本定数を使った、より正確なモノサシに変えているわけである。基本定数の値を決定する実験誤差が小さくなったため、人工物である原器の精度を遥かに上回るようになったのだ。時間を決めている時計も、最近では光格子時計と呼ばれる百億年に一秒以下の誤差という精度が得られるようになり、やがて原子時計はお払い箱になると予想されている。モノサシの精度は、現代の最先端科学のレベルを反映していると言える。

（「婦人の友」19年3月号）

「時」が紡いだ軌跡

個の時間と集団の時間

子どもの頃、深夜に目覚めて何も見えず、このまま永遠に真っ暗闇が続くのではないかという恐怖に捉われたことがある。このときの「永遠」という感覚は、何も変化せず時間が止まってしまったかのような感覚のことだ。それまでにそのような経験をしたことがなかったので、そのままずっと続くのではないかと思い込んでしまったのである。人間は常に変化する環境の中で生きており、変化を通じて時間の歩みを知らず知らずのうちに認識し、時間の軌跡を追い続けている存在なのではないか。だから、何事も変化しないかのような瞬間を過ごして、私は時間を失ったかのように恐怖を感じたのであった。

やがて、胸の鼓動がドキンドキンと打つことで確かに時が進んでいることを知って、その恐怖は消えた。このまま永遠に鼓動を打ち続けるのみとは考えずに、やがて朝が来るだろうと思ったからだ。「明けない夜はない」との意識がいつの間にか刷り込まれていたためだろう。そう思うと安心したためか、すぐに寝入ってしまい、夜中に目覚めて暗闇の恐怖に駆られたことは夢の中の出来事のように思われた。胸の鼓動という私の体が指し示す時間が、私を平静に戻してくれたのである。誰もが鼓動を打っているのだから、その時間は私だけでなく、横で寝ている兄にも共通して流れている、そう思い当たったこともある。

人間は、それぞれが持つ独自の時間を生きつつ、誰にも共通する時間が流れていることを知って、時の流れとともに生起する規則性を読み取ってきた。さらに、その時間を社会的集団として共有することによって、文明社会を築いてきたのである。言い換えると、人間が追いかけて来た「時」の歴史は、個人としての時間と集団としての時間をいかに調和させるかに苦闘してきた歴史と言えるかもしれない。その結果、今や世界全体が単一の「時」に支配され、そのまま先導されていくのではないかという、新たな恐怖の時代を迎えているのではないだろうか。

時間を測る最初の道具

誰にも共通する時間を定めるために、規則的に変化する客観的な運動が探された。最初に選ばれたのは、東から昇り西に沈む太陽の運動、そして日ごとに形を変えつつ三〇日足らずで元の形に戻る月の変化である。これによって、人々は一日、一月を数え、季節の変化を知り、暦として整理して農作業に活かすようになった。時間は生活を区切る重要な目安になったのである。しかし、太陽や月の運動・変化からは大ざっぱな時間しか測れない。一本の棒が作り出す太陽の影によって時間を測る日時計は、宇宙の運動を地上に固定する素晴らしいアイデアなのだが、短い時間間隔や正確な時刻を知ることはできない。より短い時間を正確に測れる時計が求められるようになるのは必然であった。このことは、人間の集団的活動が活発になるとともに、時間を精度よく測る必要ができたことを意味している。
例えば、紀元六六〇年に中大兄皇子（後の天智天皇）が、水の落下を使用した水時計を使って時間を測った（これを「漏刻」と言う）ことが知られている。日時計では不可能な、雨の日や夜でも時間が測れる時計が日本に登場した最初であった。権力を持つ者は人々の時間を支配することを望んだのである。現在「時の記念日」は六月十日なのだが、その由来は、大津市にある天智天皇を祀る近江神社が、この日に「漏刻祭」を行うことに因んだもののようである。

機械式時計

ヨーロッパで機械式の時計が発明されたのは十三世紀末で、毎日決められた時間に祈りを捧げるために修道院で造られた。やがて都市の教会に広がり、鐘を鳴らして人々に時間を知らせるという重要な役割を担うようになった。時報の鐘の音が聞こえる範囲で一つの都市が形成されたと言われている。まさに「時」が人間の共同生活をつなぐ役割を担うようになったのだ。ミレーの名画「晩鐘」では、若い農夫の夫婦が遠くに見える教会の鐘の音を聞き、作業を中断して手を合わせている光景が描かれている。これは十九世紀に書かれた絵なのだが、まさにこの頃まで、「時」が長い間人々の生活を律していたことがわかる。

日本に機械式時計が伝来したのは十六世紀で、イエズス会の宣教師が持ち込んだ。種子島に鉄砲が渡来したのと同じ頃である。この時計の機械的な仕組みに感嘆し、手先の器用な職人たちが自らの手で時計を生産するようになった。鉄砲も同じで、日本は一時世界一の鉄砲所有国となったのである。やがて戦乱が絶えた江戸時代には、鉄砲鍛冶の仕事はすたれたが、時計職人はより高級な時計作りに熱中した。当時は、太陽の動きに合わせて時間を決める「不定時法」であったので、季節ごとに、また地域ごとに時間が異なっていた。そのことまで考慮した時計でなければならないから、実に巧妙な工夫が必要とされたのである。この日本人の器用さと工夫好きという特性によって活かされた「時」を測るための技術開発が、懐中時計の時代になって日本の時計産業の発展の礎（いしずえ）になったと言われている。

十八世紀になって小型の機械式時計、つまり懐中時計が発明され、装飾品としても重宝されて、誰もが欲しがった。マリー・アントワネットが、あらゆる機能を盛り込んだ世界一美しい時計を注文したことが知られている。もっともそれを手にする前に、彼女は革命で処刑されてしまったのだが。懐中時計の出現は、教会が鐘で知らせ、人々に共有される時間から、個人がそれぞれ時計を所有して、自分の都合で時間をコントロールするようになったことを意味する。まさにフランス革命が、過去の封建時代の門閥や血統が物言う通時的な時間感覚から、個人の生き方を最重要視する共時的世界観をもたらしたのと、軌を一にしている。個人を制約する公共時間から解放されて、人々は自分が支配する時間という大いなる自由を得た気分になったのである。市民革命は腕時計とともにやってきたと言えるかもしれない。なんだか、高校に入学してお祝いでもらった腕時計を腕にはめて何度も見入った、あのときめきと似ているような気がする。

再び国家が管理する時間

しかし、再び時間は公有化されることになった。産業革命によって鉄道が各地を結ぶようになって、列車の到着や発車の時刻を共通にしていなければならないからだ。それだけでなく、工場や官庁や学校や軍隊など、多くの人間が集合し、共同作業をする場所で、時間が個人ごとにバラバラであっては困る。こうして国として統一した時間を定め、やがて国境を越えて互いの時間を換算する取り決めが行われるようになった。「標準時」と呼ぶ、世界中の人間誰にも共通する時間の中で、人は生きるようになったのである。日本の標準時は一八八八年（明治二一年）から施行され、これによって「遅刻」という概念が生まれたそうである。近代になって集団を律する時間が国家によって定められ、さらに交通や貿易の発達によって地球は一体化し、世界中が共通した時間網で覆われることになった。ローカルに生きている私たちなのだが、グローバルな時間に否応なく従わざる得なくなっているのが現在であろう。

通時的発想の回復

それと同時に、私たちはより速くあることに最大の価値を置き、世界中が加速された時間を生きるようになった。その結果として、刹那的な発想になり、遠い未来のことを考えなくなってしまった。「今だけ」自分（たち）だけが利得にありつけばよいと思う習性である。実際、貴重な地下資源を使い尽くし、美しい自然を破壊し、原発の廃棄物を累積させ、多大な借金と老朽化した都市ばかりを残すというふうに、自分たちの世代が贅沢三昧をし尽して、その災厄は全て子孫たちに押し付けている。まさに「我が亡き後に洪水よ　来たれ」である。しかし、それではあまりに私たちの子孫に対して無責任ではないか。未来に登場する私たちの子孫に何を残すかを考えること、つまりこの時間は未来にも流れ、子孫たちが生きるのであるという「通時的発想」を回復する必要があるのでないかと思う。「時」を巡る歴史はこのことを物語っているのではないだろうか。

（公文教育研究会「文 next」19年1月 117号）

あとがき

現代社会と科学の関係に関する評論・エッセイ集は、二〇一六年に出した『ねえ君、不思議だと思いませんか?』(而立書房)以来、五年ぶりである。この間、書くことを怠けていたわけではないが、安倍政権下で始まった、科学者を軍事研究に誘い込む軍学共同問題に集中していたこともあって、幅広いテーマについての文章があまり書けないでいたのである。しかし、ここ一年以上続いた新型コロナウイルスの蔓延の問題と、半年ばかり前に勃発した日本学術会議の会員拒否問題に遭遇し、これらの問題について集中的に論じる機会があり、それに加えて過去数年に書いてきたコラムやエッセイを収録したのが本書である。以下、簡単に内容についての私の感慨を付け加えておきたい。

第I章の新型コロナウイルス問題では、日本でもようやくワクチン接種が進むようになったが、人口の六~七割が接種をして集団免疫を獲得するまでにはまだ一年はかかるだろう。ここには、この一年ばかりの間に、政府や専門家の対応について、主として新聞に書いたコラムを集めている。最初の段階では、切迫した感情に押されて的外れな意見も述べていたことがわかる。とはいえ、特に私だけの意見ではないのだが、PCR検査の拡充と医療体制の充実は終始一貫して主張している。現状を正確に把握して必要な治療を施すことは、感染症のような多くの人々を巻き込む病気に科学的に対応する最も基本的な事柄であるからだ。

第Ⅱ章の日本学術会議問題については、そもそも日本学術会議のことを多くの人々が知らないという状況があり、その解説をまず行った。その上で、科学者の軍事研究への動員に反対してきた日本学術会議に対して政府筋からの圧力が働いているのではないか、との見方について私なりの意見をまとめたものである。特に、日本学術会議が三度も「軍事研究には協力しない」との決議（声明）を出している経緯を整理し、その意味や影響力について詳しく論じてきた。そのような誇るべき歴史を忘れてはならないと考えたからである。

第Ⅲ章では少し気分を変えて、講演会で語った記録が残っているもののうち、異なった三つのテーマについて話し言葉のままで収録している。書き言葉で書いた文章はどうしても固い印象が強いが、話し言葉であると柔らかい気分になって頭に沁み込みやすいのではないかと考えたからだ。講演内容も、親子文庫を主宰しておられるお母さん方に向けての軍学共同の話、高校の国語の教師に対しての国語教育の重要さを語り掛けた話、そして大学初年生を対象にした大学で身に付ける教養と科学に関する話、と異なった層の人々を相手にしたものである。このような講義録は、私自身気恥ずかしいところもあるのだが、幅広い視野で語っているかどうかを点検することができるので役に立つ。

第Ⅳ章は、科学と社会の関係について論じた文章で、現在の私の専門分野である科学技術社会論の中核をなす部分である。といっても、私の科学技術社会論はアカデミックなものではなく、現実社会に生じている科学・技術に関わる事故や事件を取り上げ、どのように考え社会として対処すべきかを論じている。人間社会と切り結ぶ議論を具体的に展開しないと、本当に生きた科学技術社会論にならないと考えるからだ。

最後の第V章は、気楽に、楽しみつつ、科学に関わるあれやこれやの話題を取り上げたもので、他の論者とは異なった捉え方や見解を披露しているつもりである。実は私は、軍学共同とか科学者の社会的責任などのような肩肘張って論じるテーマから解放されて、ここに収録したような何の気兼ねもなく自分の蘊蓄（うんちく）を語る文章だけに熱中できる人生に憧れている。しかし、世の中の動きを見ればつい何やかやと口を出したくなり、モラルを説く私になってしまうことになる。だから今後も、こんなふうに生きていくのだろうけれど、せいぜい科学四方山話（よもやまばなし）も楽しく語れるよう常に材料を仕入れ料理したいと思っている。

「あとがき」を先に読む人もおられることを念頭におきながら、本書に収録した文章の背景にある生の自分の姿を知っておいていただきたいと願って認（したた）めてきた。本書をまとめるにおいて、而立書房の倉田晃宏さんに大いに世話になった。ここに感謝申し上げる。

二〇二一年四月二十七日　記

［著者略歴］
池内 了（いけうち・さとる）
1944年、兵庫県生まれ。
宇宙物理学、科学技術社会論。
総合研究大学院大学名誉教授、名古屋大学名誉教授。
『お父さんが話してくれた宇宙の歴史』（全4巻、岩波書店）で産経児童出版文化賞JR賞、日本科学読物賞、『科学の考え方・学び方』（岩波ジュニア新書）で講談社科学出版賞、『科学者は、なぜ軍事研究に手を染めてはいけないか』（みすず書房）で毎日出版文化賞特別賞を受賞。
著書に『科学者と軍事研究』『科学者と戦争』（岩波新書）、『ねえ君、不思議だと思いませんか？』『原発事故との伴走の記』（而立書房）、『宇宙研究のつれづれに』（青土社）ほか多数。

科学（かがく）と社会（しゃかい）へ望（のぞ）むこと

2021年 6月10日 第1刷発行

著 者 池内 了
発行所 有限会社 而立書房
東京都千代田区神田猿楽町2丁目4番2号
電話 03（3291）5589／FAX 03（3292）8782
URL http://jiritsushobo.co.jp
印刷・製本 中央精版印刷 株式会社

ISBN 978-4-88059-427-9 C0040

池内 了

2016.12.20 刊
四六判並製
288 頁
本体 1900 円（税別）

ねえ君、不思議だと思いませんか？

ISBN978-4-88059-399-9 C0040

大学における科学者とお金の問題、リニア新幹線、STAP 細胞騒動、ドローンという怪物、電力自由化の行方、宇宙の軍事化、町工場の技術 etc… 近年の科学トピックスを、豊富な専門的知見から、わかりやすくひもといたエッセイ集。

池内 了

2019.2.25 刊
四六判並製
272 頁
本体 2000 円（税別）

原発事故との伴走の記

ISBN978-4-88059-412-5 C0040

福島原発事故以来、書き継がれてきた著者の原子力に関する発言を一挙収録。放射能との付き合い方、再生可能エネルギー、脱原発を決めたドイツの挑戦と困難、廃炉のゆくえ、などなど。原発事故を文明の転換点として捉えなおす道筋をしめす。

藤村靖之

2020.12.20 刊
四六判並製
320 頁
本体 1800 円（税別）

自立力を磨く お金と組織に依存しないで豊かに生きる

ISBN978-4-88059-425-5 C0037

お金と組織に依存しないで豊かに生きるためには、自立力が必要だ。自立力の中身は『自給力』『自活力』『仲間力』の３つ。たくさんの実例とともに、愉しく「自立力」を身につければ、資本主義が破綻しても力を失うことはない……。

三浦 展

2020.5.10 刊
四六判並製
320 頁
本体 1800 円（税別）

愛される街 続・人間の居る場所

ISBN978-4-88059-419-4 C0052

近年の「まちづくり」には、住宅や商業地の範疇を超えたパブリックスペース・住み開きなど、多様な個人が集い交流のできる場所・活動が求められている。女性の活躍、子育て、シェア、介護等の観点から「愛される街」を考える。

ヘンリー・ソロー／山口晃 訳

2020.12.25 刊
Ａ５判上製
320 頁
本体 2500 円（税別）

ヘンリー・ソロー全日記 1851 年

ISBN978-4-88059-421-7 C0398

24 年間のあいだに書かれた 200 万語からなる日記は、なぜ文学作品と呼べるのか――。研究者の間で「森の生活」以上の重要作とされ、作者が自身で選んだ日記という文章表現の全貌を全 12 巻で刊行予定。

谷 賢一

2019.11.10 刊
四六判上製
336 頁
本体 2000 円（税別）

戯曲 福島三部作

第一部「1961 年：夜に昇る太陽」
第二部「1986 年：メビウスの輪」
第三部「2011 年：語られたがる言葉たち」

ISBN978-4-88059-416-3 C0074

劇団 DULL-COLORED POP の主宰で、福島生まれの谷賢一が、原発事故の「なぜ？」を演劇化。自治体が原発誘致を決意する 1961 年から 50 年間を、圧倒的なディテールで描き出す問題作。第 23 回鶴屋南北戯曲賞、第 64 回岸田國士戯曲賞受賞。